‹ SÉRIE QR ›

N° 71

DU MÊME AUTEUR

Chez le même éditeur

—

Quelque chose se détache du port, poésie, 2004 (OVNI, 2009)
Matamore n° 29, roman, 2008 (OVNI, 2010)

—

Aux Éditions Léo Scheer, coll. « Laureli »
Matamore n° 29, roman, 2010

—

Aux Éditions Classiques Garnier
Le gala des incomparables : invention et résistance chez Olivier Cadiot et Nathalie Quintane, essai, 2013

POURQUOI BOLOGNE

Le Quartanier Éditeur
4418, rue Messier
Montréal (Québec) H2H 2H9
www.lequartanier.com

ALAIN FARAH

POURQUOI BOLOGNE

roman

LE QUARTANIER

Le Quartanier remercie de leur soutien financier
le Conseil des Arts du Canada
et la Société de développement des entreprises
culturelles du Québec (SODEC).

Gouvernement du Québec – Programme de crédit d'impôt
pour l'édition de livres – Gestion SODEC.

Le Quartanier reconnaît l'aide financière
du gouvernement du Canada
par l'entremise du Fonds du livre du Canada
pour ses activités d'édition.

—

Diffusion au Canada : Dimedia
Diffusion en Europe : La librairie du Québec (DNM)

—

Dépôt légal, 2013
Bibliothèque et Archives nationales du Québec
Bibliothèque et Archives Canada

ISBN : 978-2-89698-107-6

À Yolande Safi,
à nos morts.

RAVENSCRAG

DANS L'ESPACE intergalactique, là où il fait bon parfois se réfugier, notre vaisseau flotte au milieu des étoiles. J'approche du téléviseur et une voix grave dit :

— *Dans la futur, en l'an 2012, la guerre était commencée.*

Une explosion secoue le bâtiment. Le capitaine s'écrie :

— *Quoi arrive?*

Le machiniste ne tarde pas à répondre :

— *Quelqu'un a mis nous sous la bombe!*

Je sifflote un air léger et glisse une main dans ma poche. Je saisis la dosette que m'a donnée le docteur Cameron, puis non, je la lâche.

Les yeux collés sur le téléviseur, je rassure le capitaine :

— *Nous avons signal. Écran primaire allume.*

Le visage d'un nain se multiplie sur les écrans de la console. L'arrière-plan passe du bleu au rouge.

Le commodore maléfique s'adresse à nous d'un ton narquois :

— Messieurs, comment allez-vous ? Toutes votres bases sont appartiennent à nous ! Vous êtes en chemin de destruction.

Je tente d'avertir le capitaine, en criant à tue-tête pour que mes mots traversent l'écran. Je lui dis de ne pas céder au chantage du nain, que je suis en route avec des renforts. Mais je ne suis pas sûr qu'il m'entende et, comme de fait, l'instant d'après, il demande :

— *Quoi vous dites ?*

Le commodore nous interrompt. Gracieux dans sa cape améthyste, qui lui donne un teint de cadavre, il lève les bras au ciel en s'adressant au capitaine, au machiniste et à moi :

— *Vous n'avez aucune chance de survivre, faites votre temps, ha ha ha ha...*

Ça ne va pas, j'angoisse. J'ai peur de mourir. Je ferme la télévision.

Édouard m'appelle à ce moment-là.

*

JOUIR du confort de son appartement, s'affaler sur une causeuse recouverte de jersey bouclette, suivre à la télé une bonne série de science-fiction... Qui serait assez zélé pour se refuser ça ?

Moi, qui d'autre.

Il y a seulement quelques mois que l'Université McGill m'a embauché, mais je suis tellement débordé que j'y passe tout mon temps, de midi à minuit.

Plusieurs objets m'entourent, disposés sur la surface de mon bureau : un buste d'Edgar Poe taillé dans le marbre noir, une boîte métallique dans laquelle je conserve la photo de l'orphelinat catholique et une figurine de soldat dans la position du tireur couché, qui pointe son arme sur moi pour me rappeler qu'on me veut du mal.

La chose qui me plaît le plus dans cette pièce date d'un autre siècle. C'est une fenêtre de bois, haute de presque trois mètres, à laquelle je fais dos. Je suis conscient de l'imprudence : un homme muni d'un fusil de précision, en proie à la folie ou contractuellement chargé de m'abattre, dissimulé derrière le store poinçonné de son appartement, m'atteindrait facilement à la nuque, sans qu'il me soit possible d'apercevoir le viseur laser.

Je me retourne : il neige.

Ma fenêtre donne sur l'avenue McGregor et le réservoir McTavish. À midi précis, chaque jour, le vent se lève sur le promontoire sous lequel Montréal garde sa réserve d'eau. Des bourrasques de poudreuse tourbillonnent, la neige s'amoncelle dans la fenêtre. Les éléments se concertent pour m'offrir une tempête privée.

« Une tempête privée »...

Avant mon arrivée à McGill, jamais je n'aurais pu m'autoriser une telle expression, une petite phrase simple, belle, chargée de transports. J'étais un écrivain expérimental, un homme aride, je contrôlais mes émotions.

Depuis quelques mois, les choses ont changé. J'ai changé.

Les voix qu'on a dans la tête sont-elles les premières à nous avertir quand il y a un problème ? Un poète pastoral qui se convertit à l'avant-garde est-il nécessairement victime d'un complot ?

*

SOUVENT, des collègues cognent à la porte de mon bureau, curieux de savoir ce que je fabrique. J'essaie de garder mon calme et je réponds : « J'écris ! »

Ils me foutent la paix.

Si vous me croisez dans un cocktail, vous ne remarquerez pas mon inconfort. Ma bonne humeur vous surprendra, et mon aisance à bavarder, à raconter des histoires. Vous me trouverez sympathique, avec ma cigarette électronique et mes cravates griffées. Vous serez peut-être tentés de vérifier si sous mon élégante bonhomie se cache un écrivain. Vous pousserez alors l'audace jusqu'à vous rendre en librairie acheter un de mes livres. Contre toute attente, vous le lirez.

Là, normalement, il est acquis que les choses se

gâteront. Vous vous inquiéterez de ne pas trouver les mots pour faire semblant d'avoir trouvé mon livre «intéressant». La prochaine fois que vous me croiserez dans un cocktail, je remarquerai votre gêne et je vous le dirai.

Mais tout cela est absolument sans importance.

Mes histoires, aussi bien le confesser d'entrée de jeu, je les mets en pièces, sans autre nécessité que celle de traduire l'expérience télescopée de mes époques.

Nous sommes en 1962.

Je ne sais plus d'où je viens ni où je vais. Les raccords me posent problème. Lorsque je me regarde dans le miroir, mes yeux, mon nez, ma bouche sont à moi. Mais les choses peuvent-elles être aussi simples ? Qui me dit que mon visage n'est pas tout à fait différent, n'est pas tout à fait autre, qu'à me croiser dans la rue je réussirais à me reconnaître ?

Moi, c'est moi qui me dis ça.

Depuis quelques semaines, ma santé se fragilise. C'est pour cette raison que je dois rendre visite au docteur Cameron. Je vais vous en reparler de celui-là, et pas rien qu'un peu, mais allons-y une étape à la fois, je n'aime pas brusquer les gens.

*

MON COUSIN Édouard m'a longtemps accompagné au cinéma lorsque j'obtenais certaines permissions à l'orphelinat. Il s'est toujours montré compréhensif devant mes malaises, qui survenaient au beau milieu des séances. Je sortais alors impulsivement de la salle, sujet à des nausées fulgurantes ou à une confusion optique proche de l'égarement.

J'étais obsédé à l'époque par le phénomène de la persistance rétinienne, mon esprit tentait de le déjouer, de voir non pas un flux d'images en mouvement, mais bien des photographies indépendantes les unes des autres.

Mon cousin venait me rejoindre aux toilettes, il m'appliquait sur le front des serviettes de papier brun imbibées d'eau froide, qui devenaient vite grumeleuses.

— C'est les actualités de la guerre du Viêt Nam qui te font cet effet ?

— Édouard, je le sens, ça va mal finir.

Je ne voulais pas l'inquiéter en lui avouant que ma vraie terreur au cinéma provenait de mon incapacité à percevoir la continuité du mouvement des gens et des choses sur la pellicule, c'est pourquoi je prétextais chaque fois, pour expliquer mes malaises, des motifs relativement farfelus.

Ma perception fragmentée des images dans les salles obscures est la seconde raison pour laquelle je préfère la télévision. La première ? Elle viendra en deuxième.

*

DEPUIS quelques semaines, j'ai de la difficulté à me concentrer. Ce matin, par exemple, devant le miroir, pour essayer d'arrêter de penser à mes yeux, à mon nez, à ma bouche, pour arrêter les voix dans ma tête qui me disaient que ce n'était peut-être pas mon visage, après tout, j'ai tenté de me concentrer sur la confection de mon nœud de cravate, ce double Windsor sans lequel je ne quitte jamais mon appartement. Je me suis dit que ça me ferait du bien, de me complaire dans la description mentale d'un geste aussi automatique, mille fois répété, je me suis convaincu que de commenter, au fur et à mesure des trois ou quatre mouvements qui garantissent mon élégance, le nouage de ma cravate ferait taire les voix qui me disent dans ma tête que mon visage n'est pas le mien. Les choses ne se sont malheureusement pas passées ainsi. Mes mains s'agitaient dans tous les sens, j'ai dû recommencer mon nœud presque dix fois. Comme dans les films, j'ai eu envie de fracasser de mon poing le miroir, mais j'ai eu peur de ce que les voix diraient alors. De toute manière, je ne suis pas dans un film, et une obsession me hante plus que les autres : si les services secrets accédaient à mes pensées, m'en rendrais-je compte ? J'entends sans cesse, dans ma tête, cette phrase de Kissinger, que certains voient déjà à la tête de la diplomatie américaine : « Les paranoïaques aussi ont des ennemis. » C'est joli, non ? Mais, plus important, comment faire pour continuer quand on sait ça, quand on sent ça ?

*

LES APPARENCES sont trompeuses, Platon en avait déjà long à dire là-dessus.

Moi, il suffit que je pense au Turc mécanique, ce prétendu automate imbattable aux échecs devant lequel s'inclineront Benjamin Franklin et le premier Napoléon, pour que me viennent des vertiges.

Si le Turc fascine, c'est par sa capacité à lire dans la tête de ses adversaires, à anticiper chacun de leurs coups. Il fait peur et, en même temps, on l'admire. Edgar Poe, dans *Le joueur d'échecs de Maelzel*, en parle même comme de la plus grande invention de tous les temps.

Le Turc révèle pourtant un jour son secret : il n'est pas une machine. Derrière un jeu de miroirs se cache un homoncule maître aux échecs, un nain bossu et laid, mais qui possède une qualité pratique : il est là.

Aujourd'hui, on ne sait plus qui bouge les pièces, il n'y a plus de Turc ni d'échiquier.

Nous sommes en 2012 et en 1962.

Nous sommes en 1962 et en 2012.

Il fait froid.

Quelque chose cloche, mais quoi ?

Quelqu'un, quelque part, nous contrôle.

*

DANS ses *Histoires grotesques et sérieuses*, traduites par Baudelaire en 1871, Edgar Poe explique que rien n'a jamais autant excité l'attention publique que le Turc mécanique. Partout où il s'est fait voir, il a fait l'objet d'une intense curiosité.

En effet, nous rencontrons partout des hommes dotés du génie de la mécanique, doués d'une grande perspicacité et d'un rare discernement, qui n'hésitent pas à déclarer que cet automate est une pure machine, dont les mouvements n'ont aucun rapport avec l'action humaine, et qui est conséquemment, sans aucune comparaison, la plus étonnante des inventions.

Mais cette conclusion serait juste et plausible si le jeu d'échecs comprenait une marche déterminée. Or aucun coup ne résulte nécessairement d'aucun autre coup quelconque. Tout dépend du jugement variable des joueurs. Même en admettant qu'ils soient en eux-mêmes déterminés, les mouvements de l'automate seraient forcément interrompus et dérangés par la volonté non déterminée de son adversaire.

*

ON GÈLE, dans ce bureau, vous ne trouvez pas ?

Je vais appeler mon adjointe et, en moins de deux, le responsable du chauffage viendra ajuster le thermostat.

C'est fait.

Candice est d'une efficacité redoutable. Dès son entretien d'embauche, j'ai su qu'elle n'était pas comme les autres.

Attendez, je vais l'appeler à nouveau à l'interphone, pour qu'elle passe nous voir, puisqu'on parle d'elle. Vous allez l'adorer.

Mon adjointe entre tout sourire dans mon bureau. Les documents qu'elle tient serrés contre sa poitrine se soulèvent au rythme de son souffle saccadé.

— Candice, vous avez l'air épuisée. Vous prenez votre travail trop à cœur. Venez un peu par ici que je vous change les idées. Regardez cette photo, je viens de la faire encadrer, elle date du temps où je séjournais à l'orphelinat. Ça m'a coûté une fortune, c'est du bois de rose.

— Vous êtes orphelin ?

— Je ne vous l'ai pas déjà dit ?

Elle secoue sa jupe subtilement, comme pour chasser un insecte. Quelque chose dérange Candice, l'électricité statique, peut-être. Il y a des produits pour ça, des aérosols fabuleux, c'est nouveau sur le marché.

Je n'ose pas lui faire de commentaire sur son tailleur Chanel, je me retiens, je ne veux pas avoir l'air trop superficiel. Et je ne vous parle même pas de ses chaussures, ou du col de sa veste, du lapin, je crois, qui donne une touche un peu nordique à l'ensemble.

— Et si vous essayiez de m'identifier ?

— Professeur, vous n'y pensez pas, cette photo doit bien dater de Mathusalem.

— Allez, soyez bonne joueuse.

Elle obtempère, sourit avec espièglerie, examine chaque orphelin, hésite, demeure silencieuse, élimine les gens de race noire, négligeant du même coup la possibilité qu'à travers le temps je me sois décoloré.

Elle pointe le garçon que je fus jadis, lâche un soupir comme si mon passé la remuait.

— Vous souvenez-vous du nom de vos camarades ?

— Seulement de Montaigne Racine, le jeune Haïtien qui se fouille dans le nez, derrière moi. Sœur Marcella, notre enseignante, malgré l'air bonasse que lui donne sa cornette sur la photo, avait pour lui la plus vive antipathie.

*

DEPUIS mon entrée en fonction, je m'habille en suivant les principes de la Société des ambianceurs et des personnes élégantes (SAPE), mais, lorsque je reçois des candidats en entrevue d'embauche, je fournis un effort supplémentaire et sors ma cravate des grandes occasions : la picotée argent et noir que je porte sur les photos dans les magazines.

La SAPE est un club vestimentaire populaire né au Cameroun dans les années suivant son indépendance. Ses adhérents, appelés sapeurs, s'habillent chez les grands couturiers. On compte deux types de sapeurs : ceux dont la référence est Enfant Mystère et ceux qui suivent les préceptes de Feu Mamadou.

Les premiers, très conservateurs, connaissent les couleurs des tissus et des saisons ; les seconds, perpétuels prisonniers du baroque, portent des couleurs criardes.

L'inventeur de la SAPE serait Christian Loubaki, dit Enfant Mystère, un domestique qui servait chez des aristocrates parisiens du seizième arrondissement. On dit qu'il aurait entrepris sa démarche à partir de vieux vêtements offerts par ses patrons. De retour dans son pays natal, avec la complicité de son vieil ami Hamadou Diop, il ouvre une première boutique baptisée La Saperie du prince Loubaki.

On dit parfois de la SAPE qu'elle abuse de l'étalage d'une abondance futile, de l'exhibition fastueuse de vêtements hors de prix alors que l'Afrique demeure accablée par l'analphabétisme, le chômage et la pauvreté. On dit beaucoup de choses. Quid du discernement ?

*

IL M'ARRIVE de rejouer mentalement l'entretien d'embauche de Candice. Je la revois jeter un coup d'œil amusé sur mes objets dès son entrée dans mon bureau, je l'entends décréter que le buste de Poe en marbre noir donne du « caractère à ma huche », et je ressens à nouveau la honte, passagère il est vrai, de ne pas savoir ce qu'est une huche. Que faisions-nous avant le dictionnaire ?

J'attribue mon penchant pour Candice à son défaut de prononciation subtil et si charmant, à ses doigts fins, à son vernis à ongles toujours légèrement écaillé.

Ça ne fait pas cinq minutes qu'elle a passé la porte que je lui annonce que je l'embauche.

— Ce n'est pas compliqué, c'est vous qui allez écrire mon roman. Vous toucherez un salaire honnête et disposerez d'outils à la fine pointe de la technologie. Bien sûr, l'important, ce sera la recherche.

Faussement nonchalant, je me tourne vers la fenêtre et pointe l'immeuble qui abrite l'ordinateur à cartes perforées acheté à grands frais, l'an dernier, par la direction, un étage à lui tout seul, imaginez.

*

MON VISAGE s'engourdit de plus en plus souvent. Quand survient cette sensation de fourmillement, ou de dysfonction, je pose un regard sur la boîte où je conserve la photo de l'orphelinat, et je pense alors automatiquement à Montaigne Racine, l'ami avec qui je partageais ma chambre.

Je sors la photo : Montaigne est là, deuxième rangée, premier à gauche. Il ignore la consigne de Sœur Marcella, qui n'entend pas à rire :

— Placez vos paumes l'une contre l'autre, et recueillez-vous en pensant au Seigneur notre Père.

Au lieu de joindre les mains, Montaigne se joue dans le nez. Il est seul, avec le photographe, à le savoir, puisque nous sommes trop occupés à suivre la consigne de Sœur Marcella en prenant la position du petit ange devant la caméra.

Assis devant, je ne vois pas Montaigne désobéir.

*

JE ME PERDS souvent pendant des heures dans la contemplation de cette photo ; la grande fresque qui couvre le mur du fond me captive tout particulièrement. Un sfumato y suggère l'Italie natale des Sœurs de la congrégation. Les formes et les époques se confondent, mais personne ne crie au scandale : l'art a encore un peu d'avenir devant lui.

Aujourd'hui, je marche dans cette fresque. Les hautes montagnes, le lac paisible, les maisonnettes, tout respire le calme et l'harmonie. On se croirait en Suisse.

Après une courte promenade le long d'un ruisseau, je déplace mes yeux vers le village du coin gauche, puis je gravis le promontoire qui donne sur la place du marché, où les marchands vendent les saucissons qui portent le nom de la capitale de la région. Ni Naples ni Rome, donc.

Déambulant parmi les étals, je m'arrête devant

celui que tient une jeune femme, la fille du vigneron du coin. Elle me raconte que la dernière récolte a été terrible, qu'un individu au teint étrange a planté les pousses de vignes à l'envers. Elle me relate ce fâcheux incident dans le détail, mais je n'arrive pas à suivre le fil, comme si je n'écoutais que d'une oreille, comme si je n'étais pas tout à fait là. La fille du vigneron s'en rend compte, se tait. Puis, voyant que je m'éloigne, elle me crie : « Vous saluerez Hamadou ! »

*

PARFOIS, quand je fixe longtemps la photo de l'orphelinat, mes pensées divaguent vers des sujets connexes que je jumelle à certaines généralités.

Par exemple, tout à l'heure, j'ai pensé à la mère de Montaigne. Par association, la difficile tâche qui consiste à prénommer les enfants m'a préoccupé.

Comme disait l'autre : que recèlent les noms ?

La mère de Montaigne, sans doute grande lectrice, n'a pas manqué son coup, un peu comme cette dame, sourde de naissance, qui avait baptisé son cadet Mozart. Pour ma part, je trouve plus difficile de baptiser mes personnages que mes enfants. La psychanalyse a sans doute quelques explications à offrir là-dessus.

Mes yeux ne quittent pas la photo de l'orphelinat. Le regard que j'ai, gamin, jusqu'à la forme de mes paupières, est absolument identique à celui d'Émilie, ma fille. Je l'ai prénommée ainsi en souvenir de la voie

Émilienne, cette route antique qui relie Plaisance à Modène, que je n'ai jamais encore empruntée.

*

UN APRÈS-MIDI de 1975, je me trouve avec Édouard au Cinéma Palace, rue Sainte-Catherine. Nous sommes venus voir *Les ordres,* ce film dont tout le monde parle. C'est une fiction, mais tournée comme un documentaire. On y raconte l'arrestation de cinq Québécois après la promulgation de la Loi sur les mesures de guerre, le 16 octobre 1970, et surtout la torture mentale que leur font subir les forces policières, avant de les relâcher, des semaines plus tard, sans plus d'explication.

Dans une des premières scènes du film, le réalisateur, que plusieurs critiques considèrent aussi comme le meilleur caméraman du monde, braque son appareil sur une des têtes d'affiche. L'acteur se présente :

— Je m'appelle Jean Lapointe et, dans le film, je suis Clermont Boudreau. Je suis né sur une ferme, Marie aussi. J'ai bien l'impression que notre plus grosse erreur, ça a été de nous en venir en ville. Là, je suis dans le textile, pis notre espoir, c'est notre syndicat.

Je pense souvent à cet instant où l'acteur devient le personnage, et je me demande si ce passage d'un mode à l'autre, Jean Lapointe le sent physiquement.

Moi, je m'appelle Alain Farah et, dans le livre, je suis Alain Farah.

*

JE CONTEMPLE la photo de l'orphelinat depuis tellement longtemps, je la scrute de si près que je vois double, parfois même triple. Ce n'est plus la fresque du réfectoire qui m'avale, c'est Montaigne Racine qui se multiplie, qui s'agite. Il veut me parler.

Nous conversons jusqu'à la tombée de la nuit.

Pendant des heures, il me répète la même chose, m'en disant mille autres : tu es la matière de ton livre.

*

EN ME DIRIGEANT vers la salle de bain, je passe devant le bureau de Candice. Bien qu'il se fasse tard, elle épluche de volumineux dossiers. J'interprète son regard comme une question. Je m'arrête.

— Professeur, je suis passée vous voir plus tôt cet après-midi, mais votre porte était fermée. Je vous ai entendu parler à voix haute pendant un long moment. Est-ce indiscret de vous demander avec qui vous discutiez ?

— Oh, je parlais à Montaigne Racine, cet ami de l'orphelinat que vous trouviez si cocasse ce matin. Figurez-vous qu'il m'est apparu.

— Je veux bien m'expliquer certaines de vos lubies par votre excentricité, mais peut-être souffrez-vous de surmenage ?

— Candice, la fatigue et moi, ça fait deux.

— Mon mandat consiste entre autres à m'assurer que vous êtes en possession de tous vos moyens, que vous restez intense, surtout avec les découvertes que je suis en train de faire. Vous devriez aller voir le docteur Penfield, juste en haut de la rue University, il a mis au point un nouveau protocole de consultation.

— Il reçoit à cette heure-ci, ce Penfield ?

— Oui, jusque tard dans la nuit.

*

JE CROIS que la clinique du docteur Penfield se situe à l'est de la rue University. En remontant l'avenue McGregor le long du réservoir McTavish, alors que je devrais tourner à droite, inexplicablement je tourne à gauche et me retrouve, après quelques minutes de marche, devant le portail d'un édifice que je connais trop bien, le Allan Memorial.

J'avance vers le bâtiment aux allures de manoir. Un nain apparaît, comme sorti de nulle part. Vraiment, Candice exagère. Sans dire un mot, il m'intime de le suivre.

Nous pénétrons dans le bâtiment et, après avoir gravi un escalier aux marches de marbre noir usées en leur centre, nous arrivons au bureau de l'homoncule, au dernier étage de l'édifice. L'éclairage de la pièce est très tamisé, mais les lampadaires de la ville diluent assez la pénombre pour que je me fraye un chemin jusqu'au divan.

*

NÉ EN ÉCOSSE, Hugh Allan, futur magnat du commerce maritime, futur promoteur de chemins de fer, futur Sir, arrive à Montréal en 1826 et prend un emploi de commis chez un producteur céréalier.

Grâce à ses relations, après quelques années il aboutit dans le domaine de la construction navale et finira par posséder la plus impressionnante flotte marchande de l'Atlantique Nord. Sa compagnie, la Allan Line Shipping, atteint rapidement la plus grande capacité de chargement de toutes les entreprises ayant leur centre d'opération à Montréal, au point de devenir, en 1859, l'une des entreprises les plus prospères de la province. Et ce n'est qu'un début. Allan établit ensuite une ligne permanente de navires à vapeur entre Montréal et les ports britanniques, assurant par là même le transport de marchandises et accroissant le nombre d'immigrants venus d'Europe.

La fortune qu'il a accumulée fait d'Allan, dans les années mille huit cent soixante, l'homme le plus riche du Canada et lui permet incidemment de recevoir les gouverneurs généraux, des membres de la famille royale, tout ce que la colonie compte de grosses légumes.

Avec à son service onze domestiques, dont Christian Loubaki, dit Enfant Mystère, il ne manque à Sir Allan qu'un domaine. Sur les pentes du mont Royal, il achète aux descendants de Simon McTavish, cet autre Écossais pour qui il aura tant d'admiration, un manoir qui, par sa superficie et sa magnificence, surpasse toutes les demeures existantes au Canada.

*

EN 1863, Sir Hugh Allan commande donc à ses architectes les plans de cette demeure qui, dirait mon ami Umberto, sera le signifiant de son pouvoir et de sa richesse. Baptisé Ravenscrag du nom d'un château écossais, ce manoir, construit dans le goût italien, est situé encore aujourd'hui derrière une muraille de pierre, en haut de la rue McTavish.

La maison, divisée en plusieurs ailes, a une façade asymétrique, dominée par une imposante tour surplombant l'entrée principale. À l'intérieur, l'architecture de chacune des trente-six pièces dénote un style particulier. Le hall et la salle à manger sont de style florentin ; la salle de bal, de style français ; et la bibliothèque, lambrissée de chêne avec ses meubles saturés d'ornementations, de style résolument victorien.

La famille Allan vouant une passion à l'élevage des corneilles, la propriété de quatorze acres possède une immense volière ; à l'entrée y figure une sculpture de pierre représentant cet oiseau. Après la mort de Sir Allan en 1882, son fils Sir Montagu et sa bru héritent de Ravenscrag. Ils agrandissent la maison pour accommoder leurs quatre enfants et refont la décoration.

Mais le malheur frappe : les deux petites-filles de Sir Allan meurent dans le naufrage du *Lituania*, ses deux petits-fils tombent au champ d'honneur pendant la Première Guerre mondiale.

À la mort de Sir Montagu, Lady Allan fait don de Ravenscrag à l'Hôpital Royal Victoria et à l'Université McGill, à condition que le domaine soit baptisé l'Institut Allan Memorial, en mémoire des quatre enfants décédés tragiquement.

En 1943, on décide ainsi de transformer le bâtiment en hôpital psychiatrique. L'intérieur et l'extérieur du manoir subissent des transformations majeures, rapprochant l'édifice des standards en matière d'asiles, tels qu'ils furent pensés au dix-neuvième siècle par l'architecte américain Kirkbride, dont les principes ont guidé la construction de centaines d'institutions psychiatriques en Amérique du Nord.

À partir de ce moment-là, à Ravenscrag, les choses ne sont plus comme avant. Les grandes salles de bal où se réunissait l'aristocratie anglaise cèdent le pas à un espace de vie inédit où les malades mentaux ne sont plus considérés comme des individus à exclure de la société mais comme des patients qui méritent de faire des gâteaux, de jouer au ping-pong ou de chanter des chansons en groupe, sous la supervision discrète et bienveillante de quelques spécialistes.

*

EN CE QUI me concerne, je m'allonge sur le divan, à quelques pas du nain. Je ferme les yeux et entame la conversation avec bonhomie, pour détendre l'atmosphère, assez sinistre, je trouve :

— Bonjour, docteur...

— Cameron.

— Oui, docteur Cameroun... Comment allez-vous ?

— Cameron, not Cameroun. I don't look Scottish enough for you ? Anyways, comment allez-vous, vous ? When one is in that seat, it usually means that something is wrong.

Sa voix, caverneuse et mécanique, m'intimide, mais je reste cordial.

— Un camarade m'est apparu alors que je scrutais une photo de très près. Vous savez, quand on fait exprès pour loucher en attendant que quelque chose se passe ? C'est arrivé, l'image de Montaigne s'est mise à bouger. Je ne comptais pas m'en faire, mais Candice, mon adjointe, s'est inquiétée, et j'ai préféré venir vous voir, question que ma rencontre avec Montaigne ne nuise pas à la bonne marche de mes recherches.

— Yes, research, don't we all do that. What kind of work do you do ?

Je dis « writer ». Je marque une pause, puis j'ajoute :

— J'écris un roman dans lequel un homme mandate une femme pour écrire un roman à sa place, lui ne pouvant bien sûr pas, son esprit étant contrôlé par les services secrets.

Je me retourne pour voir sa réaction, curieux de constater à quel point mon projet l'impressionne. À ma surprise, il semble crispé. Il me fait signe impatiemment de reprendre ma position. J'obtempère, tout en restant aux aguets.

Je l'entends fouiller dans son tiroir. Après une bonne minute sans parler, il dit, non sans dédain :

— Le peu que vous m'avez raconté indique que vous êtes possiblement en proie à une forme légère d'insanité. Je vais être franc avec vous. Il n'y a pas dix solutions à votre problème. Voici votre dosette : chaque fois que vous sentirez votre pensée s'engager sur une voie étrange, prenez une capsule. Tout devrait rentrer dans l'ordre dans les minutes suivant l'ingestion.

Je remercie le docteur Cameron, dont l'approche lapidaire n'affecte en rien sa perspicacité : je n'ai eu qu'à prononcer quelques mots et il a aussitôt diagnostiqué mon mal, comme s'il avait lu dans mes pensées.

*

QUAND je sors de la clinique, je constate qu'une neige fondante s'est mise à tomber, le terrain de l'ancien manoir est déjà tout blanc. Je ne regagne pas tout de suite l'avenue des Pins, préférant me promener un peu autour de Ravenscrag.

Mon attention se porte sur la corneille de pierre qui émerge de la clef de voûte d'un bâtiment. J'ai lu que les propriétaires originaux élevaient cet oiseau.

Celui-ci a l'air fâché ; je détourne le regard de peur de voir la sculpture prendre vie, puis, réalisant que ma pensée a pris une voie étrange, je sors la dosette du docteur Cameron, je l'ouvre, je choisis une capsule, je la pose sur ma langue, je rassemble toute la salive que j'ai en bouche et j'avale.

Devant la statue de la corneille, les pieds de plus en plus mouillés, je détaille ce protocole, je l'enregistre mentalement pour que ma description soit basée sur une expérience intime et vécue.

*

JE ME SOUVIENS.

La scène se déroule l'hiver dernier, vers la fin de l'après-midi. La tempête de neige absorbe tout le son.

Je viens d'écrire les premières lignes de mon roman, alors je m'autorise un moment de détente devant une série de science-fiction, avant que mon cousin n'appelle pour me donner rendez-vous au garage.

Quand le téléphone sonne, je suis dans l'espace intergalactique. Édouard me dit :

— Écoute, on ne pourra pas réparer la voiture de l'Italien ce soir, je dois me rendre à Ravenscrag. Mon père a eu un malaise.

— Rien de grave, j'espère ?

— Je n'en sais rien, je ne rejoins personne.

— J'arrive.

*

IL Y A longtemps que je n'ai pas vu Nab. De le savoir immobile dans sa chambre, entouré d'arbustes de plastique, de photos de sa vie d'avant, de coupures de presse louangeant l'invention de sa lampe révolutionnaire, ça me donne envie de pleurer.

Édouard et moi avons rendez-vous devant le portail de Ravenscrag. Il neige encore, comme il neigera dans un an quand je sortirai de ma consultation avec le docteur Cameron. Je brouille la chronologie, Candice m'en voudrait, mais le temps est malade et il n'est pas le seul. Les trottoirs sont glissants, nous avançons à petits pas. En gravissant la côte, je dis à Édouard :

— Est-ce que tu en sais plus ?

— J'imagine que son nouveau traitement l'épuise.

En pénétrant dans le manoir, nous sommes devant un grand escalier de marbre noir que nous montons rapidement. Nous entendons crier. La porte s'ouvre. La mère d'Édouard se jette sur lui en répétant : « Il est mort, il est mort. »

*

BIEN QU'ELLE rompe le rythme du récit au moment où survient ce qui s'apparente selon Candice à un événement déclencheur, cette capsule raconte qui est Édouard, mon cousin germain et le fils de Nab, Nab étant le plus jeune frère de Yolande, ma mère.

Édouard est né trois jours après moi, au même endroit que moi : à l'Hôpital Royal Victoria de Montréal, sur le campus de l'Université McGill. Nous sommes depuis toujours inséparables, avant tout parce que ma mère et son père étaient très proches, ayant perdu leur propre père, lui-même prénommé Édouard, dans des circonstances tragiques. Ma mère avait douze ans, et Nab, à peine six.

Édouard est mécanicien, j'écris des livres : c'est la même chose. J'ai toujours habité des appartements dotés de garages que mon cousin utilisait pour y pratiquer la mécanique alors que moi je perdais mon temps à lire des romans en fumant des cigarettes électroniques.

Quand j'étais petit, seul dans mon lit le soir, j'angoissais à l'idée qu'Édouard meure un jour. Je mouillais mes draps tant la perspective de le perdre me terrorisait.

*

SI UN HAÏTIEN m'invitait, une nuit d'orage, dans un manoir lugubre, pour m'offrir, non pas une capsule bleue ou une capsule rouge, mais une famille saine et ordinaire plutôt qu'une famille insane, je n'hésiterais pas une seconde, je ne changerais rien à mon histoire.

Même si c'est mon désir de la transformer, cette histoire, qui me fait écrire.

Qu'aurais-je fait, sans ma famille ?

Comptable, ingénieur, psychiatre, beaucoup de choses, sans doute, mais jamais des livres.

Un soir d'orage que je regardais la télévision, confortablement allongé dans ma causeuse en jersey bouclette, je suis tombé sur le *Ed Sullivan Show.* On y recevait plusieurs artistes, mais l'un d'eux sortait du lot avec son allure de petit caïd. Il m'a fait une forte impression. Il s'agissait d'un chanteur de charme né au Michigan, un type dénommé Marshall Mathers. J'ai d'ailleurs transcrit, sur une feuille que j'ai aimantée à mon réfrigérateur, un des couplets de la pièce qu'il a interprétée devant le public du talk-show : « Jamais je ne dirais du mal de toi, maman / Pour obtenir l'amour du public, maman / Écoute bien mon disque, je n'écris pas en diffamant. »

*

JE VOUS disais donc : Nab est mort.

Édouard et moi restons avec sa mère un long moment pour la réconforter. Elle est inconsolable, mais elle finit par reprendre ses esprits et se calmer. Elle nous explique que, depuis quelques jours, Nab se plaignait aux infirmières de douleurs à la poitrine. Ses symptômes se sont aggravés en matinée, il a commencé à vomir très violemment, et son médecin a tardé à réagir. La mère d'Édouard s'est assoupie au chevet de son mari, le cœur de Nab s'est arrêté sans qu'elle s'en rende compte. Mon cousin et moi sommes arrivés dans les minutes qui ont suivi.

Nab est devant nous, dans son lit. Je ne comprends pas lorsque les gens disent « il s'est endormi », pour parler de la mort de quelqu'un. Nab n'a pas l'air de dormir, il fixe le vide, sa bouche est entrouverte, je lis de l'effroi sur son visage mal rasé et livide. J'ai envie de lui prendre la main, mais je n'ose pas le toucher, son teint me fait peur, je crains que son corps ne soit déjà froid.

Les yeux encore rouges, la mère d'Édouard se tourne vers moi : elle veut que j'annonce le décès à ma mère, cette tâche t'incombe, même si tu ne lui parles plus depuis des années.

C'est vrai, mon histoire avec ma mère est difficile, elle m'a perdu alors que j'étais encore enfant.

Non sans mal, je parviens à quitter Ravenscrag, dont l'architecture aligne, de part et d'autre d'un long corridor central, trente-six portes dont aucune ne mène au dehors, comme s'il fallait accepter d'en inventer une trente-septième pour en sortir.

*

MARCHANT dans la tempête, je hèle un taxi à qui je donne l'adresse de ma mère.

Dans la voiture, je cherche les mots pour lui annoncer la mort de son frère, je parle à voix haute pour trouver la bonne phrase, haussant le ton pour m'entendre tellement le chauffeur écoute à tue-tête la musique de Radio-Caraïbes.

La bonne phrase ne vient pas. Tant pis, j'improviserai.

*

LORSQUE ma mère ouvre, je perçois son mouvement de recul.

— Qu'est-ce que tu fais là ? On m'a dit que tu étudiais en Europe.

— Nab a eu un malaise, je suis venu te le dire, je n'avais pas envie de le faire par téléphone.

— C'est grave ?

— Je ne sais pas.

— Qu'est-ce qu'il a ?

— Ce n'est pas clair. Mets ton manteau, on va aller le voir.

— Tu es fou, tu as vu la tempête ? Qu'est-ce qui presse ?

— Ce serait bien si on y allait tout de suite.

— Tu me caches quelque chose ?

— Qu'est-ce que tu veux dire ?

— Tu me le dirais si c'était grave ?

— Je ne sais pas.

— Qu'est-ce que tu veux dire ?

— Je crois que c'est assez grave.

— C'est fini ? Dis-le-moi si c'est fini.

Je fais le regard qui veut dire *c'est fini*.

*

JE COUPE avant la réaction de ma mère. On pourrait dire que je la laisse hors champ, mais c'est plutôt un effet de montage, à interpréter non pas comme un geste de pudeur, mais comme le constat d'échec que je fais chaque fois que j'écris. La littérature n'arrive pas à la cheville de la vie.

Dans la réalité, lorsque j'apprends à ma mère la mort de son frère, elle se met à gémir. Je reste pétrifié devant elle, d'autant plus qu'elle interrompt ses lamentations par le mot « baba », qu'elle répète, « baba, baba », formule affectueuse, en arabe, pour nommer son père quand on s'adresse à lui.

Au salon funéraire, trois jours plus tard, le radotage d'une vieille tante me révèle le pourquoi de ce « baba » répété : Édouard, le père de ma mère, est mort un 8 décembre, cinquante ans auparavant, le même jour que Nab. Lorsque j'ai sonné à sa porte, ma mère était hantée depuis le matin par cet anniversaire. En me voyant débarquer chez elle après toutes ces années, pour lui annoncer la mort de son frère, elle s'est brisée. Quelque chose, dans le temps, ne tenait plus. Assaillie par la confusion entre les époques, ma mère est redevenue une enfant qui demandait son père, comme on le fait en proie à la détresse.

Nous étions en 1962. Ma mère était en 1912.

*

TOUS les parents vous le diront, expliquer à son enfant que la mort existe constitue un exercice périlleux. Devant la dépouille de Nab, ma fille m'a demandé si nous allions nous aussi mourir, un jour. J'ai tenté de lui expliquer que la vie avait une durée ; que nous naissions, puis que nous mourions.

— Tout le monde va mourir, papa ? Même maman ?

— Oui, Émilie, tout le monde meurt. Un jour, tous les êtres humains qui sont sur terre, aujourd'hui, seront disparus. Est-ce que cela t'inquiète ?

— Non, parce que, à ce moment-là, les dinosaures reviendront.

*

ÇA A L'AIR compliqué, mais c'est simple. Je ne me suis pas perdu en chemin. J'ai embauché Candice, je lui ai confié un mandat exigeant, elle a vécu de l'angoisse, elle a projeté sur moi ses symptômes et je me suis retrouvé devant Cameron, devant Ravenscrag, la neige absorbait tout le son.

Me revoici, les pieds gelés, immobile dans la tempête. Et un veilleur de nuit haïtien, vêtu d'un complet répondant aux principes de la SAPE, vient vers moi, une lampe de poche à la main. Nous ferions pareil : un homme, au petit matin, qui fixe une corneille de pierre en fumant une cigarette électronique, c'est louche.

Je peux reconnaître un disciple de la SAPE à des kilomètres à la ronde. Ce veilleur maîtrise en virtuose les principes constitutifs de la Société, dont la sacrosainte règle de la Trilogie. Trois couleurs pour une tenue, ni une de plus, ni une de moins. S'habiller selon les principes de la SAPE, c'est aussi savoir montrer des agencements tape-à-l'œil, trois-pièces Dior et chaussures en crocodile Weston, pourquoi pas, c'est exhiber sa queue-de-pie en laine mérinos blanche, sa cravate McQueen, sa pipe en bois d'acajou, sa canne « à système », qui comporte, dans le pommeau ou le fût, un compartiment qui permet de loger des ustensiles, parfois des armes. Être un bon sapologue, c'est explorer les tissus, les motifs, les accessoires, c'est savoir vivre l'expérience d'un vêtement.

— Est-ce que je peux vous aider, monsieur ? J'imagine que vous êtes ici pour l'énigme de Bologne ?

— En fait, je travaille de l'autre côté du réservoir. Je me suis égaré, c'est idiot, en sortant de la clinique. J'examinais cette corneille de pierre qui surgit de la clef de voûte.

— Pendant deux heures ? Admettez que Ravenscrag vous a hypnotisé... Quel bâtiment, n'est-ce pas ? On dit que Sir Allan a fait construire son manoir sur la montagne pour pouvoir garder un œil sur sa flotte en tout temps.

— Et cette fameuse énigme ?

— L'énigme de Bologne... Il y a des siècles qu'on en cherche la solution. Beaucoup de cryptologues s'y sont cassé les dents. Cela dit, j'espère que vous n'êtes pas choqué que je vous aie interpellé : notre nouveau protocole de protection, mis en place par le docteur Cameron après la mort d'un de ses patients, l'exigeait. Si vous saviez le nombre d'individus louches que j'intercepte chaque nuit autour du manoir. Et c'est encore pire depuis que le patron fait participer des étudiants à ses expériences d'hydrothérapie. Les jeunes tentent de s'infiltrer dans la piscine intérieure de Ravenscrag.

— La piscine intérieure de Ravenscrag ?

— Vous ne connaissez pas, c'est normal, il s'agit d'un lieu qui sert à traiter les patients du docteur Cameron. En dehors des heures de traitement, les médecins de l'Institut viennent s'y prélasser. D'ailleurs, au risque de paraître vulgaire, je les comprends très bien, avec toutes ces créatures qui émergent de l'eau.

— Que voulez-vous dire ?

— Le spectacle débute lors du bain libre, quand les infirmières rejoignent les médecins avec leur air de fausses ingénues et leur plus beau maillot de bain. Il y a même des filles qui mettent ce nouveau truc, le bikini. Vous vous doutez bien que je passe mon temps à m'assurer que tout est sécuritaire, et que je n'hésite pas à procéder à des interventions musclées lorsque certaines infirmières me paraissent suspectes...

J'esquisse un sourire gêné en guise de réponse. Presque imperceptiblement, par un mélange de civilités et de mots d'esprit, je précipite la conversation vers sa fin : c'est passionnant, mais j'ai une réunion avec mon adjointe, j'ai les chaussettes trempées, faut que j'y aille, à la prochaine.

*

J'ARRIVE au bureau avant que l'aurore ne jette sur l'horizon ses sinistres doigts de rose. Une surprise m'attend : Candice est déjà là, à moins qu'elle ne soit jamais partie. Punaisés au mur devant elle, des coupures de journaux, divers papiers portant des inscriptions curieuses (Acide lysergique ? MK-Ultra ? Méthode Page-Russell ?) sont reliés entre eux par des ficelles, créent une vaste constellation de liens invisibles.

— Alors, Candice, cette enquête, ça avance ?

— Vous aurez mon rapport demain, à la première heure. Vous ne serez pas déçu. C'est gros, c'est plus gros que vous ne le pensiez.

Appuyé contre le cadre de porte, je laisse courir mon regard sur les articles au mur. Quel ennui, trop de mots. Mais ça lui fait une silhouette d'enfer, ce tailleur.

— C'est un Chanel ?

— Pardon ?

Le ton abrupt de sa réponse nous replace dans nos rôles respectifs. Je me redresse, vérifie mon double Windsor et, juste avant de sortir, je demande :

— Et ce roman ?

— Ah, ça, c'est autre chose. Je fais face à plusieurs problèmes. Je voudrais qu'on en discute.

— Ce ne sera pas nécessaire, Candice. Faites comme vous sentez.

Satisfait du cours des choses, je regagne mon cher bureau sans m'inquiéter, sachant que, dans la vie d'un écrivain, l'insouciance et la légèreté sont des sentiments éphémères.

Au milieu de l'après-midi, sur mon divan, je tente de faire une courte sieste en adoptant une position semi-fœtale. Je cherche en vain la bonne posture, la respiration exacte, mais je suis constamment dérangé par le téléphone qui sonne, les collègues qui cognent à la porte. Je dois me relever sans cesse. Devant eux, je feins la bonne humeur, cachant les malaises qui m'accablent.

Je décide de me consacrer à des activités de peu d'envergure. Après avoir épousseté mes objets, j'entreprends de ranger mes livres en ordre alphabétique (Adorno, Condon, Duras, Pellerin, Rimbaud), puis en ordre chronologique de lecture (Condon, Pellerin, Duras, Rimbaud, Adorno), puis par nationalité (Allemand : Adorno ; Américain : Condon ; Canadien français : Pellerin ; Français : Duras, Rimbaud).

À mesure que la journée progresse, mes symptômes se déploient : je ressens des fourmillements sur mon visage, sans savoir s'ils sont attribuables à la compression d'un nerf ou d'un vaisseau sanguin, ou à une fourmi ; je perçois la présence de mes dents dans ma bouche plus qu'à l'habitude même si elles ne grincent pas, j'ai mal au ventre, je n'entends plus les voix dans ma tête, mais leur silence me terrifie.

À bien comptabiliser mes malaises, je constate que je viens de passer ma première nuit blanche. Le cours des choses se trouble. Chaque sieste manquée a son prix.

*

MÊME une journée interminable finit par finir. Il était temps. Je sors du bureau par l'arrière de l'édifice, pour le simple plaisir de marcher le long du réservoir McTavish. Le soleil se couche derrière le mont Royal et baigne les alentours d'une lumière irréelle.

Dans les années trente, le petit lac d'eau potable du réservoir n'était pas encore recouvert. Lors des sorties autorisées par l'orphelinat, nous nous y rendions, Montaigne et moi, pour jouer avec des bateaux téléguidés par ondes magnétiques. Je ne gagnais jamais les courses, mais j'avais du plaisir à imaginer l'allure de vraies régates.

Le lac était un endroit de villégiature en plein cœur de la ville. Quelque chose de beau avec une fonction.

Depuis, les choses ont changé. Pour des raisons de sécurité et de salubrité, les autorités ont décidé d'instaurer un règlement et, conformément aux nouvelles dispositions, un immense promontoire a été construit au-dessus du lac, qu'on a scellé d'une dalle de béton. Les gens, heureusement, y font encore des pique-niques, les jours de grand soleil.

J'aime bien, l'été, passer par là pour voir les jeunes familles s'amuser avec des cerfs-volants, des ballons colorés, des frisbees. Parfois, si une pluie fine consent à me rafraîchir, je repense à mes après-midi avec la Huguenote, avant que les choses ne tournent mal.

*

ALLAIS-JE parler d'amour ?

Non, j'allais parler d'urbanisme.

Montréal possède plusieurs réservoirs d'eau potable, dont la station McTavish, située tout près du campus de l'Université McGill, au pied du mont Royal. Ce réservoir, creusé en 1856, était d'abord un lac d'une capacité de quatorze millions de gallons. Ça fait beaucoup d'eau. Au fil des ans, il a été agrandi à plusieurs reprises.

L'élégante station de pompage rappelle un château médiéval et se marie à la perfection aux éléments voisins du campus de l'Université McGill et de l'Hôpital Royal Victoria. La maçonnerie, les escaliers, les perrons, les portes, les fenêtres, les toitures en ardoise et les solins en cuivre, tout ça en jette.

À l'intérieur, on trouve douze pompes massives qui

puisent dans le fleuve Saint-Laurent une eau ensuite distribuée par gravité dans les quartiers avoisinants.

Si on a recouvert le réservoir McTavish d'une dalle, c'était de peur que les malades du Royal Victoria n'en contaminent l'eau et vice-versa. Cette dalle, on l'a ensuite recouverte d'une pelouse longeant l'avenue McGregor, qui prendra, en 1978, le nom d'avenue du Docteur-Penfield, en hommage à l'éternel rival du docteur Cameron. Quant à la clinique de neurologie du docteur Penfield, on y accède en tournant à droite quand, sur l'avenue McGregor, on arrive à l'avenue des Pins. C'est tellement bien dessiné qu'il faut faire un effort pour se perdre. Dont acte.

*

POUR L'HEURE, je sais où je suis : sur l'avenue des Pins, et je tombe justement sur Umberto qui, fier comme un coq, sort d'une résidence d'étudiantes.

— Mais c'est pas possible, amico mio, tu es blême, qu'est-ce qui t'arrive ?

— Je viens de passer une nuit blanche.

— Et c'est sans doute pour que tu en passes une deuxième d'affilée que le hasard te met sur mon chemin, tu crois pas ? Allez, suis-moi, je m'en vais sur la rue Dorchester.

— Tu as des billets pour l'inauguration ? Comment tu fais pour être invité partout ?

— Une architecte avec qui j'ai eu quelque chose

veut me présenter à plein de gens, montrer qu'elle a de bons contacts avec l'intelligentsia italienne... J'ai deux laissez-passer, tu m'accompagnes. Il va y avoir des femmes magnifiques, ça va te faire oublier la Suissesse. Apprends à t'amuser, bello. Fais comme moi. Regarde comme mes passages à Montréal m'épanouissent.

— Et que pense madame Eco de tes virées américaines ?

Il n'apprécie pas mon commentaire mais me connaît trop bien pour s'inquiéter. Nous poursuivons notre marche en silence, du moins jusqu'à l'avenue du Parc, où des ouvriers apportent la touche finale à l'échangeur de béton qu'on inaugurera aussi dans quelques jours. Umberto reprend la conversation, comme si je n'avais jamais évoqué sa femme.

— Je n'ai toujours pas réglé ton cousin pour la réparation qu'il a effectuée sur la grosse américaine que j'ai expédiée en Italie.

— Tu sais, depuis la mort de son père, Édouard n'assure plus très bien le suivi de ses dossiers.

— Tant mieux pour moi !

— Toujours aussi moral...

— Ne joue pas au catholique effarouché. La mort, les femmes, le fric, tout ça vient ensemble. Si tu veux du succès avec tes bouquins, va falloir que tu comprennes ça. Pense à ce que disait Montaigne, que tu es la matière de ton livre.

Je me sens mal en entendant les mots d'Umberto, si bien que j'avale une capsule en douce.

*

DURAS, dans *Écrire,* reproche à trop de livres de ne pas être libres. Elle reproche aux écrivains d'agir en flics, alors que l'écriture forme des voyous. À force de se satisfaire de petits livres conformes, les plumitifs jouissent de leur propre neutralisation, font des livres sans nuit, des livres de passe-temps, de voyage, pas des livres qui s'incrustent dans la pensée, pas des livres qui disent le deuil noir de toute vie.

*

J'AI CONNU Umberto lors de mes études en Europe. Si je l'aime, l'exubérance de sa personnalité m'irrite, sans parler de ses livres truffés de métaphores, dans lesquels il passe quinze pages à s'ébaubir devant un portail d'église médiéval.

Au-delà de ses tics d'écriture et de son aisance aussi à éprouver mes convictions morales, Umberto est important pour moi : je l'utilise pour vivre des choses intéressantes.

*

JE NE PEUX pas croire qu'au lieu d'aller dormir, de récupérer le sommeil perdu pour être en forme à la réunion de demain matin avec Candice, je vais faire la fête avec l'Italien.

Je ne peux pas le croire parce que ce n'est pas vrai.

Tout comme moi, Umberto n'existe pas. J'ai tracé les contours de ce personnage à partir d'un événement assez cocasse de l'été 2007.

Léa-Catherine, une vieille camarade qui après des études d'architecture à Venise a décidé de s'installer en Italie, était de retour pour quelques semaines de vacances à Montréal.

Elle avait organisé un barbecue dans le jardin de sa mère et m'avait invité. La soirée était agréable, je discutais de la pluie et du beau temps avec Capucine, une jolie brune timide, lorsqu'un gars avait interrompu notre conversation pour la draguer frontalement.

Le contenu de son discours de séduction m'avait ému. Sans raison apparente, il s'était mis à décrire à Capucine l'œuvre d'Eco, en insistant sur sa complexité, sur la nécessité de la lire dans le texte pour comprendre les choses de l'Italie.

Le topo du gars s'était terminé par une remarque sur la région de l'Émilie-Romagne, qui avait commencé à me hanter, de sorte que, dans *Matamore n° 29*, le roman que j'écrivais à l'époque, j'ai saupoudré un peu partout et sans savoir pourquoi des références à la ville de Bologne, dont le nom désigne une mortadelle si finement hachée qu'elle paraît homogène, oblitérant du même coup les morceaux hétéroclites qui la composent, museaux de porc, pattes de coq, anus de bœuf.

*

J'AI AVALÉ une capsule discrètement, puis une deuxième, et une troisième.

Nous voilà rendus à la fête. Les gens font sagement la file pour entrer mais se bousculent quand même un peu. Ils sont fébriles de faire partie de cette soirée et on les comprend : on inaugure la Place Ville Marie, ce n'est pas rien.

Dans le grand hall, l'hôtesse me regarde étrangement. Pour ne pas éveiller de soupçons, je lui dis :

— Je suis d'une autre époque.

À peine entrons-nous qu'Umberto commence à repérer les belles femmes :

— On dirait une scène du dernier film de Fellini, tu trouves pas ?

Je m'essaie à détailler leurs jambes ou leur poitrine, mais la vérité, c'est que je suis incapable de les juger à leur seule apparence. Mon détachement agace Umberto.

— Non mais allez, t'es pas sympa. Trouve une femme qui te plaît, je vais la draguer pour toi.

Ce disant, il continue à balayer la salle du regard. Devant son insistance, je cède :

— Au fond de la pièce, celle de dos, avec le chapeau noir. Elle me plaît.

— Mais on ne voit même pas son visage. Et son pillbox hat est ridicule… il ressemble aux dosettes qu'on donne aux vieux. Il y a tous ces beaux minois autour de nous et tu te contentes de cette fille de dos ? Tu me décourages.

— C'est à elle que je dois parler, dis-je gravement.

— Si c'est pour te faire changer d'humeur.

*

UMBERTO se dirige vers le fond du hall en effleurant au passage le postérieur d'une serveuse. Il touche la femme au pillbox hat, qui se retourne aussitôt.

Une étrange impression me saisit en voyant son visage. Je me sens inquiet, mais artificiellement, c'est-à-dire que cette sensation me happe sans avoir été précédée d'anxiété ; elle surgit de nulle part.

J'essaie de me calmer en pensant aux capsules avalées, puis j'en prends deux autres, pour être sûr. Au moins, Umberto ne pourra pas critiquer mon choix : chapeau ridicule ou pas, cette femme est superbe.

Habituellement, je n'aime pas les grandes, je vois d'emblée le déséquilibre sur l'éventuelle photo de mariage. Quoi qu'en disent les nains, je n'aime pas que l'homme soit plus petit.

Cette femme aux cheveux noirs, je ne peux plus m'empêcher de la regarder. Sa robe à la fois ajustée et bouffante aux épaules lui donne l'allure exacte de Sean Young, l'interprète d'une réplicante dans le film *Blade Runner.* Autour de ses yeux se dessine un maquillage précis, mais, en raison de la distance qui me sépare d'elle, je ne peux vérifier les réactions de son iris et déterminer s'il s'agit d'un robot. Sa peau est pâle sans être transparente, on ne voit pas les veines dans son visage. Ça me rassure. Je déteste ce qui brouille la surface.

*

QU'EST-CE que la beauté ? Cette question me tracasse depuis la première fois que j'ai trouvé une femme de mon goût.

Un jour, au retour de l'école, je me suis assis devant la télévision. Pianotant sur le Jerrold, je suis tombé sur une espionne aux longues jambes dans un épisode de dessin animé japonais. Ça a bouleversé ma psychologie. Toute ma vie, je rechercherais ce sentiment général, cet envoûtement devant la force vitale qui s'empare de moi lorsqu'une femme me plaît. Ce que je trouve étrange aujourd'hui, c'est que pour revivre le sentiment merveilleux de la fréquentation de la beauté en son absence, je dois me concentrer sur certaines de ses expressions précises : l'échevellement d'une natte, la pétillance d'un œil, la générosité ou la délicatesse d'un buste.

Je pourrais allonger la liste jusqu'à ce que toutes mes lectrices se reconnaissent, mais ce serait racoleur. Reste qu'un sourire espiègle, des dents désalignées juste ce qu'il faut, un accent suisse, de petits défauts d'élocution, la finesse d'un maquillage, tout ça, pour toujours, m'ébranle, m'inquiète.

*

C'EST pourquoi je peux parler de maquillage pendant des heures, peut-être pas aussi bien que Baudelaire, mais avec une certaine expertise. J'ai travaillé, l'été de mes vingt ans, au Sephora des Champs-Élysées, le plus grand d'Europe, pour payer mes études de lettres. Depuis, j'analyse la manière dont les femmes que je croise se maquillent, je le fais en esthète même s'il m'arrive de temps à autre d'empoigner un cul.

Le mascara des jeunes femmes sans expérience, parfois léger, toujours structurant, le mascara qui rend le regard profond et singulier permet à la femme de paraître magique et surnaturelle, elle qui étonne, elle qui charme, elle qui se dore pour être adorée, elle qui emprunte à tous les arts les moyens de s'élever au-dessus de la nature, pour subjuguer les cœurs, frapper les esprits.

Les puristes crient à l'imposture, comme si la

beauté naturelle existait, comme si cette histoire d'authenticité était autre chose que de la bouillie pour les chats.

Qui ne se fout pas que la ruse et l'artifice soient connus de tous, si l'effet est irrésistible ? Un maquillage exécuté avec art produit l'illusion d'une vie qui excède la vie.

*

CETTE FEMME que j'ai élue parmi toutes sans le savoir me fait peur tant elle est belle.

Elle sait que je la regarde, alors elle me regarde, puis, quand je me retourne vers elle, elle tourne la tête ailleurs. J'avale une capsule puis m'assois près d'Umberto, qui place une main sur la cuisse de la femme alors qu'elle pose à nouveau son regard sur moi. Cette fois, elle me fixe. Umberto s'enhardit et avance la main vers son entre-jambes, en déclarant :

— Vous savez, mademoiselle, je suis un sémiologue spécialisé en scolastique médiévale. J'ai récemment publié *Sviluppo dell'estetica medievale*, et m'intéresse aussi à l'avant-garde, dont fait partie mon ami juste ici (il me pointe du doigt). Je suis à boucler un essai sur le sujet, il ne me manque que le titre.

La femme, du tac au tac, suggère « L'œuvre ouverte ». Énergisé par la suggestion, il poursuit :

— Je suis sur le point d'obtenir un poste prestigieux

en Émilie-Romagne, c'est une région de mon pays, c'est très joli, surtout si vous aimez la montagne.

Je sens que mon visage recommence à s'engourdir, et qu'il fait de plus en plus froid. Je prends une autre capsule, puis j'interromps le baratin d'Umberto :

— Je pense que je vais être malade, il vaut mieux que je m'en aille.

— Mais qu'est-ce que tu dis, carissimo ? Je croyais que tu voulais vivre des expériences ! Laisse-moi au moins te présenter... Au fait, dites-moi seulement votre prénom...

La femme se lève, replace sa jupe. Même si c'est Umberto qui lui pose la question, elle répond en s'adressant à moi.

— Salomé.

Mes doigts se referment sur la petite boîte dans ma poche, mais je n'ai pas le temps de prendre une autre capsule qu'elle me dit :

— Je ne pensais pas vous voir ici, vos livres critiquent si sévèrement la vie mondaine.

Je suis plutôt surpris qu'elle me reconnaisse, ça ne m'est arrivé qu'une fois, au Home Depot de Sainte-Foy. Malgré les frissons que je ressens, j'essaie de lui répondre avec esprit et nous commençons à discuter. Umberto se retire en passant derrière la jeune femme. Il articule muettement des mots d'encouragement.

*

ASSEZ RAPIDEMENT, la conversation délaisse le badinage et se déplace vers des sujets plus sombres. La jeune femme manifeste beaucoup d'intérêt à mon égard et se permet une remarque qui m'agace :

— Vous écrivez comme quelqu'un qui n'a pas eu d'enfance. Vous en voulez à votre mère, n'est-ce pas ?

— Ne soyez pas si présomptueuse. Vous avez lu mes livres, mais tout ce que j'y raconte est faux. Vous ne connaissez de moi rien d'autre que mon nom. Nous en sommes au même point : vous vous prénommez Salomé et il va en falloir un peu plus pour me faire perdre la tête.

— Vous faites souvent allusion à l'Évangile quand vous parlez aux femmes ?

Un serveur m'offre sur un plateau d'argent quelques amuse-gueules : des boulettes de veau et d'artichaut à l'orange et à l'estragon, des champignons farcis, une focaccia de sardine framboisée. Je prends les acras de morue, mais j'attends avant de croquer : un homme averti ne se brûle pas la langue.

— Je dois vous avouer que j'ai toujours été troublé par l'épisode de la décapitation de Jean le Baptiste.

— Qu'en avez-vous retenu ?

— Qu'un baiser peut tuer si la beauté n'est pas la mort.

Puis je croque dans l'amuse-gueule. J'aurais juré que c'était de la morue, mais la texture a un petit quelque chose du crabe des neiges. Pas mal, aussi, le soupçon de piment de Cayenne.

— C'est une invitation ? Il est rare qu'un homme admette une passion pour les femmes castratrices, mais dans votre cas, n'est-ce pas normal ? Étant donné vos problèmes avec votre mère... Une enfance noire, ça donne de bons écrivains. C'est bien votre prétention, d'en être un ?

— Je m'intéresse seulement aux castratrices que je sais castrer en retour. Pour le reste, je suis prêt à aller assez loin.

— C'est un défi ? Au fait, quel est le titre du livre que vous écrivez en ce moment ?

— Écrire, écrire, c'est un bien grand mot. Comme si c'était moi qui écrivais ! *Plus jamais,* que ça s'appelle. Je ne pensais pas en parler, mais à mesure que j'avance, je me rends compte que mon livre traite de ma maladie.

— Si vous le voulez, je peux devenir votre remède.

Salomé s'approche. Je perçois maintenant pleinement son magnétisme, le danger que révèle son charisme de veuve noire. J'ose lui prendre la taille, elle me sourit en signe d'approbation. Les serveurs ne nous interrompent plus et les invités du grand hall s'éloignent de nous, à moins que ce ne soit l'inverse. Je laisse mes mains se promener sur la robe de Salomé, je touche ses côtes. Elle s'approche encore davantage, pose une main sur mon épaule et m'embrasse dans le cou.

*

MES PENSÉES se bousculent. Je cherche une phrase conclusive pour rompre le charme, mais la panique me reprend. Mes pensées produisent des images qui n'existent pas, l'action se déplace dans le temps et l'espace de façon imprévisible, c'est difficile à décrire, le lieu physique qui sert de décor à la scène se maintient ; on est le 13 septembre 1962, on inaugure la Place Ville Marie le 13 septembre 1962, mais j'ai l'impression, même si je sais qu'on ne bouge pas, que Salomé m'emmène aux toilettes, que nous vivons un moment de grande intensité, que de loin Umberto me voit sans comprendre ce qui se passe. J'ai l'impression que tout devient sexuel.

Pourtant, rien n'arrive.

Je suis dans la salle, parmi les grosses légumes, Salomé m'embrasse, puis me glisse à l'oreille en me remettant un paquet :

— Je vais devenir ton remède.

Puis elle s'éloigne et se fond dans la foule. Je décide de partir aussi. C'est bien beau de profiter de la vie, mais je n'ai pas comme projet de devenir fou. Je quitte la réception en me retournant une seule fois pour croiser le regard déçu d'Umberto, occupé à divertir deux grandes Slaves passées à l'Ouest.

*

APRÈS un long trajet en taxi à travers la ville, pendant lequel j'avale au moins trois capsules en grimaçant, je rentre chez moi et me prépare un bol de céréales, non sans avoir au préalable ouvert le paquet que m'a remis Salomé et feuilleté ce livre d'un dénommé Carrère, intitulé *Je suis vivant et vous êtes morts*.

Je m'assois devant le téléviseur mais ne l'allume pas.

Me livrant à quelques exercices de respiration, je retrouve mes esprits et peux enfin appuyer sur les touches du Jerrold. Je me dis que ce serait bien de tomber sur la série de science-fiction mal traduite du japonais. C'est cependant autre chose qui joue.

Au bord de l'eau se trouve une maison blanche dotée d'une terrasse suspendue, dont la balustrade rappelle la Rome des empereurs. Par la fenêtre panoramique, on voit l'intérieur de la villa. Une caméra y surprend deux amants en train de s'embrasser.

Mon attention se porte sur la femme : chanteuse au sommet de la gloire, elle est couverte de richesses et adulée ; les journaux parlent d'elle chaque jour.

Il y a du mouvement : les amants sortent sur la terrasse.

La femme est si célèbre qu'aussitôt à l'extérieur de la villa, elle est assaillie par des flashes qui crépitent frénétiquement.

Peut-être ces journalistes veulent-ils photographier le tatouage qu'elle porte à l'intérieur du bras gauche, ces phrases de Rilke en lettres gothiques : « Cherchez en vous-mêmes, explorez la raison qui vous commande d'écrire, examinez si ses racines plongent dans votre cœur. Mourriez-vous s'il vous était interdit d'écrire ? »

*

LA CAMÉRA s'éloigne du tatouage et se pose sur l'amant qui s'adresse à la femme, en italien (Umberto traduit) :

— Hai fiducia in me ? (As-tu confiance en moi ?)

— Ovviamente ! (Bien sûr !)

L'image suggère que l'action nous parvient à travers la lentille du photographe, comme si la forme se mettait à nous parler.

Or quelque chose d'inattendu se passe : les amants se disputent et l'homme ordonne à la femme de regarder la caméra.

Est-il de mèche avec Paparazzo ?

Je me concentre très fort sur l'action pour en capter la signification cachée, mais rien à faire, le sens s'opacifie.

Soudain, la femme casse une bouteille de champagne sur la tête de l'amant qui, pour se venger, pousse la femme en bas de la terrasse.

Elle tombe tombe tombe avec en arrière-plan une

spirale noire et blanche, un peu comme dans l'ouverture de *Vertigo*, le film de Hitchcock que j'ai vu avec Édouard au Cinéma Le Dauphin. Est-ce qu'il s'agit ici aussi d'une histoire de femme qui revient du royaume des morts ?

*

LA FEMME continue de tomber, puis se fracasse la tête sur le sol.

Il y a du sang partout. Elle est morte, c'est certain. Eh bien, non, je le savais : je me sens devant une scène de *Vertigo*, même si Kim Novak est moins inquiétante que Stefani Germanotta.

Elle sort d'une limousine en fauteuil roulant, arborant un collier cervical en lapis-lazuli, je n'en ai jamais vu de pareil, pourtant je viens d'une famille d'éclopés.

Ses lunettes fumées, amovibles et rétractables, repoussent les limites de l'optométrie. Elle soulève un verre, cache son œil droit pour jouer à la borgne, comme le diable.

Une musique racoleuse se fait entendre et, après quelques notes, une équipe de brancardiers surgie de nulle part commence à déshabiller la femme.

On voit sa poitrine généreuse, ses jambes longues, c'est excitant, même si je ne comprends pas : normalement, Stefani a de petits seins et de courtes jambes. Je regarde mieux : elle est recouverte de métal, sa tête surtout, on dirait que, comme les petits-fils de Sir Allan, elle a fait la guerre de 14 et qu'on a remplacé les morceaux de crâne manquants par des plaques de fer.

Je crois que, dans ces cas-là, on parle de trépanation.

*

J'AI ENVIE d'éteindre la télévision, mais j'ai aussi envie de ne pas l'éteindre.

La trépanée, dont les plaques de métal sont passées du gris au or comme si Midas était de garde en chirurgie, inaugure ici le bal des mortes.

Je me promène dans cette morgue d'images, les photos prennent vie, la peur me tenaille.

J'avale une capsule, puis une deuxième. Je pense à Salomé.

Un baiser tuerait si la beauté n'était pas la mort.

Je vois une morte dans un bain, elle est vidée de son sang et a des oreilles mécaniques faites du même métal que la tête de la trépanée. J'en aperçois une autre portant un loup en diamants sur les yeux, le sang coulant de sa bouche, puis une autre, étendue sur un récamier, éviscérée, la poitrine grouillant d'asticots.

J'avale une troisième capsule. Je devrais peut-être vérifier combien il en reste dans ma dosette.

Je ne le fais pas.

En marchant dans les bois, pendant que le loup n'y est pas, je tombe sur une grande blonde allongée sur le sol. Un sac de plastique recouvre sa tête. Personne ne lui a dit qu'elle allait suffoquer ? Elle a les jambes écartées, ce qui devrait normalement vous faire craindre le pire. Je crains le pire.

Je pars à la course pour avertir quelqu'un, mais je me retrouve devant une série de trente-six portes qui s'ouvrent sur une série de trente-six mortes.

Une substance dorée coule de la bouche de chacune, du miel peut-être.

J'entre dans la maison blanche à la grande terrasse suspendue. À mes pieds, la cervelle de la domestique baigne dans une flaque rouge. On a poussé la domestique en bas du grand escalier circulaire. Son crâne a éclaté.

Je ressors par le jardin pour trouver sur la pelouse une autre morte, recroquevillée à côté d'une pelle. Que fait-elle là ? Nous ne le saurons pas, ni pour elle ni pour les autres.

*

MAIS ça continue : apparaissent les jambes d'une femme coupée en deux. Aux pieds, des talons aiguilles jaunes.

Dans le plan suivant, me voilà couché dans un lit à baldaquin, une blonde à mes côtés, vivante cette fois-ci, la bouche ouverte. Elle tient dans sa main une boîte de médicaments vide. Mauvais augure.

Dans une grande salle, je vois un homme, je

reconnais l'amant de la chanteuse célèbre : il a mon visage, trait pour trait. À ceci près qu'il a perdu un œil, ce qui ne l'empêche pas de feuilleter le journal dans lequel on ne fait pourtant pas état des victimes du bal des mortes.

Une porte s'ouvre et la chanteuse apparaît : elle revient se venger de la vengeance. Habillée en Minnie Mouse, elle porte des lunettes noires. Je lui demande une eau de baies de sureau, je ne sais pas ce que ça goûte, c'est britannique, je crois. Elle sourit :

— Hai gusti aristocratici... (Tu as des goûts d'aristocrate...)

Malgré sa remarque, elle me sert docilement, met même quelques glaçons dans mon verre. Ce que je ne vois pas, c'est qu'elle n'est pas docile du tout : en catimini, elle saupoudre aussi ma boisson d'une substance qui la rend pétillante.

Je fige.

Elle met sa main devant son visage, pour signifier « oups », puis elle passe un coup de fil avec son ongle-téléphone.

Est-ce possible ?

Oui, tout est possible, ici.

Je l'écoute attentivement se confesser à l'enquêteur. Narrant son propre crime, elle invente une nouvelle race de criminels.

La nuit tombe. L'enquête policière est lancée. L'enquête progresse.

La femme est accusée du meurtre : on a trouvé ses empreintes digitales sur ses lunettes noires.

J'écris un cauchemar, je vis un cauchemar.

Je ferme la télévision. Je suis encore plus angoissé qu'en revenant de l'inauguration. J'avale une dernière capsule, puis je vais me coucher.

*

JE ME TOURNE sans arrêt dans mon lit, mon corps me démange à cause de la fatigue, j'ai froid, je frotte mes pieds ensemble sous les couvertures.

Je vais être malade.

J'entends mon souffle, et j'essaie de calmer ma pensée, de l'ajuster au rythme de ma respiration. Je m'oxygène moins bien, mon visage s'engourdit, je manque d'appeler Édouard afin qu'il me rassure.

Pourquoi Salomé s'est-elle proposée pour devenir mon remède ?

Je regarde par la fenêtre de ma chambre, à travers le petit trou poinçonné dans le store : le ciel a perdu de sa noirceur, c'est terrible, le jour se lève.

Je déteste ce moment, quelque chose est toujours gâché. J'ai souvent en tête, aux aurores, cette phrase d'un vieux professeur d'histoire de l'art que je l'entends encore nous dire, debout devant l'écran sur lequel il projette des diapositives de tableaux de Géricault et du Caravage : « Il y a des peintres de la nuit, comme

Rembrandt ou De La Tour. Mais il y a très peu de peintres de l'aube, de peintres de la lumière glauque. »

Heureusement, c'est l'hiver, les oiseaux ne se mettront pas à chanter.

Je ne suis pas fait pour ne pas dormir.

À quoi bon rester dans mon lit si je ne me repose pas ?

Je me lève, pas besoin de déjeuner à nouveau. Chemise, cravate des jours de réunion, double Windsor, je suis parti.

*

AVANT d'arriver à McGill, je me dis, tiens, puisque je l'aperçois au loin, pourquoi ne pas faire un détour et saluer le veilleur qui m'a interpellé hier matin.

Il porte encore un costume aux couleurs criardes : veste émeraude, chemise fuchsia, lavallière coquelicot, pantalon bourgogne. Du beau travail, mais le veilleur est zélé : je compte quatre couleurs. Curieusement, son visage ne me semble plus aussi noir, surtout à la lisière de sa chevelure, comme s'il s'agissait d'un Caucasien maquillé en Africain. On dirait vraiment du maquillage de minstrel show, ces spectacles américains du début du dix-neuvième siècle où des acteurs blancs, le visage noirci de cire à chaussure, se moquaient des Afro-Américains en les faisant passer pour des simples d'esprit, doués que pour la musique et la danse.

Je ne laisse pas transparaître mon angoisse. Je cache ma conviction qu'il faut en tout temps être du côté des idiots plutôt que de celui des gens intelligents, et je salue l'Haïtien, qui me répond :

— J'ai fait quelques recherches sur vous, professeur, dans le fichier central de l'ordinateur. Comme ça, vous aimez les livres au point d'en écrire ? Vous savez qu'Edgar Poe a séjourné à Ravenscrag, au siècle dernier ? Le manoir appartenait d'ailleurs au frère de son père adoptif. Ce dernier a sans doute cru qu'un séjour loin de la Nouvelle-Angleterre ferait du bien au poète qui commençait à s'intéresser un peu trop à la boisson, au jeu et aux femmes.

— Poe a habité dans ce quartier ? Je dirai à Candice d'en glisser un mot dans mon livre.

— Ah oui, autre chose. Je me suis organisé avec mademoiselle Cameron, la fille du patron, pour vous donner accès à la piscine intérieure. Si ce n'est pas moi qui suis devant la porte, vous n'aurez qu'à dire mon nom à mon collègue et il vous laissera entrer sans autre forme de procès.

— Et quel est votre nom ?

— Pour vous, ce sera Hamadou, Hamadou Diop.

Pour moi ? Que voulait-il dire ? À son expression, je comprends qu'il ne m'en dira pas davantage, et je reprends ma marche sur l'avenue des Pins, puis vers McGregor. La prochaine fois, j'apporte mon maillot.

*

CANDICE m'apostrophe dès mon arrivée :

— Vous n'avez pas oublié notre réunion, professeur ?

Candice a troqué son tailleur pour une tenue plus décontractée : pull en maille, pantalon cigarette, chaussure à mi-chemin entre l'escarpin et le salomé. Je remarque ses cheveux blonds nonchalamment ramassés en chignon, la spirale qu'il forme sur sa tête, et ses yeux, avivés par le khôl. Je crois qu'on parle, dans un cas comme ça, de maquillage en œil de chat. Ça ne m'étonne pas de la part de Candice, qui en a trois, de chats, un noir, un gris et un roux.

— Bien sûr que non, j'arbore même ma cravate spéciale.

— J'ai des choses à vous dire. Mes recherches ont beaucoup avancé.

— D'accord, mais laissez-moi d'abord enlever mon manteau.

L'instant d'après, comme dans les films, je m'affale dans mon fauteuil, l'incline de manière à ce que mes pieds ne touchent plus le sol, sursaute quand ma chaise bascule vers l'arrière, tout en faisant semblant que ce déséquilibre fait partie de la chorégraphie. Je m'allume une cigarette électronique puis m'adresse à mon adjointe en prononçant lentement chacune des syllabes de la phrase :

— Fermez la porte, Candice. Je vous écoute.

Mon adjointe sort de mon bureau une demi-heure plus tard avec le sentiment du devoir accompli, mais aussi avec l'inquiétude de m'avoir donné de nouvelles bonnes raisons de devenir fou.

C'est du sacré boulot... En deux mots : non seulement la CIA s'intéresse à nos pensées, mais l'agence est sur le point de nous contrôler à distance.

La guerre se transforme, le théâtre des opérations se déplace. L'attaque sur l'esprit est désormais beaucoup plus dévastatrice que celle qui vise le corps. Si je veux échapper à nos ennemis, si je veux m'en sortir, il va me falloir mille Viêt Nam.

*

MAIS, pour y voir clair, il va falloir retourner en arrière. Avez-vous remarqué que les destins tragiques fonctionnent toujours selon le même principe ? En fuyant désespérément ce qui nous menace, on s'y précipite encore plus rapidement. L'histoire de Giuseppe Nozze ne fait pas exception, et Candice a été formelle là-dessus : c'est là que tout commence.

Au début de la Seconde Guerre mondiale, ce Canadien d'origine italienne sert dans les forces alliées au grade de sergent.

Lui dont les parents quittèrent Naples à la recherche d'un monde meilleur en Amérique.

Lui qui fréquenta les meilleures écoles catholiques.

Lui qui se retrouva au sein d'une unité ayant comme mission de reprendre aux troupes du Duce la région d'Émilie-Romagne.

Cette opération simple en apparence se compliqua malgré le travail de reconnaissance de Nozze. Le sergent avait loué un petit meublé en banlieue de Bologne, se faisant passer pour le biographe de Racine (ou de Corneille ou de Montaigne, je ne sais plus).

Lors de l'assaut sur la capitale, le contingent de Nozze fut enlevé, si bien que son unité fut portée disparue pendant quelques jours.

Sans nouvelles, les femmes des soldats pleurèrent, le pire fut envisagé, on prépara leurs obsèques.

Puis, du jour au lendemain, ils réapparurent, sains et saufs.

En apparence, du moins.

*

L'ENNEMI a accepté de les libérer comme ça, sans exiger rien en retour ?

C'est bizarre, j'en conviens, mais, au début, personne ne relève cette aberration tant les familles sont soulagées de retrouver leurs fils. Pourtant, pas besoin d'une licence en polémologie pour comprendre que cette libération cache une atroce vérité.

Quelque temps après le retour des soldats, le capitaine de la mission, plus tard interprété par Sinatra dans un des deux films qu'Hollywood consacrera à l'affaire, recommande que la Médaille du Gouverneur général soit remise à Nozze, puisque c'est grâce à son courage que fut sauvé le bataillon. Puis, des membres de l'unité de Nozze commencent à faire des cauchemars ; certains se confient à lui, en élaborant des hypothèses quant à ce qui s'est passé pendant leur enlèvement.

Nozze, un soir, éméché, se vide le cœur :

— Comment ai-je mérité cette médaille ? Je me rappelle le récit de l'opération, mais pas l'opération en tant que telle. C'est comme si cette histoire avait été fabriquée de toutes pièces et insérée dans mon cerveau.

Cette intuition de Nozze ne reste pas lettre morte.

L'état-major des services secrets canadiens, connu pour sa perspicacité, s'empare du dossier. On commence à comprendre : les membres du bataillon de Bologne (surnom de l'unité de Nozze) ont sans doute été les cobayes d'une expérience ennemie. Des idées dangereuses ont été implantées, à leur insu, dans leur cerveau, de manière à pouvoir être activées à distance après leur retour au pays, les transformant du coup en arme maléfique.

On effectue des recherches pour comprendre comment l'ennemi s'y est pris, l'expertise des services secrets américains s'avère même nécessaire. Au terme de plusieurs mois d'enquête, on découvre que cette conspiration doit mener à l'assassinat d'un président, aux États-Unis, au début des années soixante.

Ces choses-là se préparent longtemps à l'avance.

*

LES EXPÉRIENCES mentales sur le bataillon de Bologne sont menées par un ancien étudiant de Pavlov, maintenant à la tête d'une équipe de techniciens et de neuropsychiatres.

Avec beaucoup de mal, la CIA parvient à reconstituer le fil des événements : à la suite de leur enlèvement, Nozze et ses camarades sont emmenés dans un pavillon de recherche où l'on procède à un travail complexe de reprogrammation de leur personnalité. Pour éviter que les cobayes ne résistent à l'expérience, on leur fait croire, grâce à des techniques d'hypnose, qu'ils assistent, dans un petit hôtel de Nouvelle-Angleterre, à une séance d'information d'un club de jardinières portant sur la culture d'hortensias en éclairage restreint. Si la vulgate parle habituellement de « lavage de cerveau », on pourrait parler, dans leur cas, de « nettoyage à sec » ou encore « d'expurgation ».

*

LA SUJÉTION psychologique désigne l'ensemble des tentatives visant à fausser la perception de la réalité d'un individu en usant d'un rapport de pouvoir, de séduction, de suggestion, de persuasion ou de soumission. Cette technique implique l'usage d'une force irrésistible qui pousse à penser ou à faire des choses contre son gré. Qui parle de sujétion parle ainsi d'influence, d'intrusion, presque de viol de la conscience et de la volonté.

Ce n'est plus moi qui veux, ce n'est plus moi qui agis, un autre est en moi, un autre agit à travers moi.

Le principe de base, étudié depuis les années trente, soutient qu'un individu fragilisé manifeste des réactions d'évitement primaires qui neutralisent son sens critique et le rendent manipulable. L'utilisation à fortes doses de certaines drogues, de plus, limite suffisamment les capacités cognitives et discriminantes du sujet pour le conditionner à notre gré.

*

LES RECHERCHES de Candice en sont là, preuves et chronologie détaillée à l'appui. Je résume, je synthétise, chacun ses forces. Alors voici. Les agents de nos propres services secrets conçoivent désormais des programmes analogues à ceux qu'ont historiquement subis Nozze et ses camarades. On donne des drogues à des gens qui sont, à leur insu, les cobayes d'expériences qui visent à développer des techniques de sujétion psychologique qui conviennent à nos besoins. Conçus par la CIA, ces programmes comportent plusieurs volets et emploient des gens absolument partout.

Officiellement nommé MK-Ultra, les connaisseurs surnomment ce programme Projet Bologne en référence à l'unité de Giuseppe Nozze. Quant au destin de ce dernier, on peut dire qu'il fut difficile : convaincu par son hypnotiseur qu'il passe ses dernières années à enseigner la littérature contemporaine dans une université, Nozze, maintenu plutôt en maison de convalescence, est cocufié plusieurs fois par un arnaqueur qui, dans un ultime geste de sadisme, lui enverra des lettres anonymes lui demandant une rançon pour revoir ses enfants, qui sont en fait ceux de l'arnaqueur.

*

JE RELIS mes notes et je ne suis pas sûr de tout comprendre.

Je prends mon pouls : mon cœur bat trop vite. La CIA, le Projet Bologne, l'usage de drogues... Les thèmes classiques du paranoïaque... J'appelle Candice à l'interphone, la porte s'ouvre, elle apparaît.

— Croyez-vous que nous sommes en danger ? Qui sait si les services secrets ne nous donnent pas déjà certaines drogues à petites doses dans des préparations en apparence inoffensives ?...

— Vous pensez à l'eau du robinet ?

— Oui, mais aussi à la sauce à spaghetti du réfectoire. Pensez-y : chaque jour, nous serions sous influence et pourrions être manipulés.

— Vous avez peur de quoi, exactement ?

— Imaginez si les gens que nous venons de repérer décident de remonter jusqu'à nous, de faire le ménage, d'effacer les traces ? Imaginez s'ils décident de faire du mal à mes enfants...

— Mais, professeur, vous n'avez pas d'enfants.

— Ah, je n'ai pas d'enfants, moi ? Elle est bien bonne. Et c'était qui, cette gamine blonde, si merveilleuse et si turbulente, que j'ai emmenée à la garderie hier matin ?

— Mais, hier matin à l'aube, on vous a trouvé les deux pieds dans la neige devant Ravenscrag, pétrifié par l'énigme de Bologne.

Mmm, elle marque un point. Je mets la main dans ma poche pour prendre une capsule, mais la dosette est vide. Je cherche quelque chose à répondre à Candice comme si de rien n'était, mais ça bloque.

— Vous êtes sûr que ça va, professeur ?

— Candice, vraiment, fous-moi la paix. J'en ai assez que tu me mettes de la pression.

Comme piquée au vif, Candice rougit, me regarde avec un mélange de colère et d'empathie, avant de me dire :

— On peut bien jouer chacun notre rôle, toi celui de l'écrivain qui fait semblant de ne pas être naïf, moi celui de l'adjointe béni-oui-oui, admirative et sexuellement inhibée, mais, en fin de compte, tu ne changeras jamais. Qui penses-tu tromper, avec cette mascarade ?

Les gens voient clair dans ton jeu, savent que tout ce que tu racontes sert à cacher quelque chose... J'ai l'impression de me trouver devant le même petit fabulateur que la police a sorti du cinéma Commodore il y a vingt ans pour l'envoyer à Ravenscrag. Quand vas-tu comprendre que bien mentir, c'est dire la vérité ?

Sur ces mots, Candice tourne les talons et quitte mon bureau en claquant la porte avec juste assez de force pour que ma figurine de soldat tombe et se fracasse sur le sol.

*

ON me veut du mal, c'est évident.

Je sors de mon veston une flasque contenant de l'eau et en verse une grande quantité sur une serviette à main. Je la passe sur mon visage pour reprendre mes esprits, puis l'enroule autour de ma tête, comme dans *Total Recall*, afin de créer des interférences si jamais on tente de s'immiscer dans mon cerveau.

Je sue maintenant à grosses gouttes sous la serviette, mais j'ai froid en même temps. Quelque chose est déréglé.

Je me lève et m'approche de mes objets : le buste de Poe est intact, la photo de l'orphelinat aussi, jusqu'à ce que l'eau de la serviette coule dessus.

Je sors de mon bureau dans l'espoir de retrouver Candice, de la convaincre de ne pas m'abandonner à nouveau. Pour la première fois depuis que je la connais, elle n'est pas là. J'arpente les corridors, me rends à son bureau, j'ouvre la porte : elle n'est nulle part.

J'aperçois une corneille en papier posée sur ses dossiers. C'est un message. Candice ne m'en veut pas. Inutile de m'inquiéter.

LA DOLCE VITA

PLUSIEURS JOURS ont passé, mais c'est encore l'hiver.

Posté à la fenêtre de mon appartement dans la position du tireur couché, concentré, vigilant, derrière cette fenêtre de trois mètres de large, j'épie l'extérieur. Parfois, l'impression me prend d'être désormais de l'autre côté de la vitre, d'être devenu le soldat dont je crains la balle mortelle lorsque je suis dans mon bureau. L'impression me prend d'être désormais la figurine qui s'est brisée. Ce n'est pas simple de faire sans mes capsules.

C'est le calme plat, la rue est déserte.

J'ai volé hier un poinçon dans l'étui à crayons de ma fille et j'ai percé un trou dans une des lattes du store.

*

MES VOISINS apparaissent rarement pendant mes tours de garde, ce qui n'empêche pas leur souvenir de peupler le silence dans lequel je suis désormais réfugié.

Parce que je m'ennuie du temps où ma santé me permettait d'entretenir des relations, j'imagine mes voisins se demander entre eux : Avez-vous vu Alain récemment ? Comment se fait-il qu'il ne nous salue plus en partant au bureau ? Est-ce vrai qu'il prend des médicaments ?

Encore un peu de temps et ils viendront cogner à ma porte.

En attendant, lorsque je me sens trop isolé, étendu sur le plancher, j'interromps ma surveillance pour me rafraîchir. Au contact de l'eau, je me remémore comme malgré moi des moments forts de nos étés anciens.

Je nous vois, mes voisins et moi, assis sur la pelouse au crépuscule avec les enfants.

Nous énumérons nos maladies passées (Pierre-Louis le pharmacien et son abcès dentaire virant en angine mortelle; Lilli développant de l'urticaire au moment d'ouvrir son étude notariale) ; nous évoquons nos origines ethniques (Sylvie est Belge !) ; nous admettons nos croyances (Martin dit de Loïc qu'il possède une « vieille âme ») ou nos excès de colère (Carl, excédé par les jappements d'un chien, lui fait boire du solvant) ; nous partageons nos bons pistons (mais où donc avais-je déniché la machine à bulles pour l'anniversaire de Victor ? Au magasin d'effets spéciaux sur le boulevard Crémazie, voyons !) ; nous spéculons sur l'avenir de l'industrie culturelle (Adèle vient de vendre une toile à un riche collectionneur de Miami) ; nous récitons nos vers préférés (Christine nous émeut chaque fois avec ces mots : « Je ne me guérirai pas de ma jeunesse / allons vivre là où est la vie / ou mourons du moins au soleil »).

Il y a une règle tacite en littérature moderne : il faut cracher sur Alfred de Musset. Moi, j'en suis incapable, pour nombre de raisons liées à sa vie et à son œuvre, qui vont de sa haine de la Contre-Révolution à son irrévérence envers Victor Hugo, en passant par son intérêt, en bon dandy, pour l'alcool, le jeu et les femmes.

Vous souvenez-vous du début de *La confession d'un enfant du siècle* ? Non ?

Allez vous jeter de l'eau dans le visage, car rien n'est plus beau.

*

POUR ÉCRIRE l'histoire de sa vie, il faut d'abord avoir vécu. Aussi n'est-ce pas la mienne que j'écris, puisque je n'existe pas.

De même qu'un blessé atteint de la gangrène s'en va dans un amphithéâtre se faire couper un membre pourri ; et le professeur qui l'ampute, couvrant d'un linge blanc le membre séparé du corps, le fait circuler de mains en mains pour que ses étudiants l'examinent ; de même, lorsqu'un certain temps de l'existence d'un homme a été gangrené par la maladie, il peut amputer cette portion de lui-même, la retrancher du reste de sa vie et la faire circuler sur la place publique, afin que les gens la palpent et jugent de sa désespérance.

Ainsi, je raconte ce qui m'est arrivé depuis mon embauche à McGill. Dans le cas où personne n'y prendrait garde, j'aurai au moins retiré ce fruit de mes paroles, celui de m'être mieux guéri moi-même, et, comme le renard pris au piège, j'aurai rongé mon pied captif.

*

DEPUIS que j'ai avalé la première des capsules prescrites par le docteur Cameron, le contact de l'eau facilite l'émergence de mes souvenirs. Je n'y comprends rien, mais ça marche. Regardez : une pluie fine mouille mes cheveux et déjà le passé revient.

J'ai sur le dos une veste de coton à pois. D'habitude, je porte, comme d'autres un masque, des costumes italiens griffés. Assis sur le trottoir brûlant, à l'intérieur d'un souvenir, je me regarde regarder l'agitation de la rue, sous le soleil qui plombe. Je suis quelque part au milieu de la vingtaine, on proclame la naissance de la République du Viêt Nam, Eisenhower envoie ses premiers conseillers.

Il faut que j'arrête de lire les journaux.

D'un angélus à l'autre, je traîne devant la maison, il fait trop beau pour écrire, et je passe la journée à paresser, à boire de l'eau de baies de sureau dans un verre de plastique isothermique. Comme tout le monde sait, l'alcool m'est interdit ; alors je compense par des boissons rares et la pharmacopée. Les enfants qui jouent au hockey devant chez le voisin s'interrompent et se rassemblent autour de moi, curieux de l'effigie de l'athlète reproduite sur ce verre qu'on donnait dans les stations-service à l'achat d'un plein d'essence. Je n'arrive pas à voir s'il s'agit de Tom Foley, l'arrêt-court des Expos de Montréal, ou d'un sportif qui connaîtra du succès, à Séoul ou à Albertville, avant d'échouer à son test antidopage.

Une voisine, une gamine blonde de quatre ans prénommée Émilie, me lance cette phrase curieuse : « Votre verre vient du futur ! »

Je ne la contredis pas.

*

PARMI les choses qui me préoccupent et que je n'ai pas élucidées, ces deux phénomènes liés à la consommation de boissons fraîches : 1) pourquoi est-il si agréable de boire un liquide froid dans un verre de plastique ? 2) pourquoi ce même liquide, consommé dans une tasse en porcelaine, change-t-il de goût ?

J'ai beau me faire des ablutions pour flâner dans le passé, il arrive qu'une crampe au pied m'oblige à reprendre conscience de ma situation : l'isolement, le store, le trou de poinçon.

Lucide quant à ma position précaire, mais peut-être

moins sur les raisons qui m'y ont précipité, je sens la détresse prendre le dessus, surtout que je n'ai plus de capsules pour contrer les attaques.

Suis-je victime de manipulations orchestrées à distance ?

Suis-je en train de tomber dans le piège du Projet Bologne ?

Suis-je l'automate de Candice ?

Non. Non. Non.

Ou peut-être que si. Quoi qu'il en soit, je reprends mon calme. Je refuse de m'engager dans une logique paranoïaque, même si ma lecture, depuis mon plus jeune âge, du *Manuel diagnostique et statistique des troubles mentaux* m'a procuré un solide bagage en psychologie.

Un bain chaud me détendrait.

*

ENTREZ, je suis sous l'eau. Je raconte à voix haute les souvenirs qui me viennent, vous devriez bien me comprendre, malgré les bulles.

Je visite, par une journée pluvieuse, le Département des archives de l'Hôpital Royal Victoria sur le campus de McGill, là même où, au moment de ma naissance, un obstétricien juif m'a circoncis par erreur.

Attablé dans un coin sombre de ce qui ressemble à une bibliothèque, je consulte, avec la rigueur de Julia

Roberts dans *The Pelican Brief*, des microfilms au sujet de Nab. Qui est Nab ? Mon oncle. Voilà, vous suivez.

Avant d'y séjourner comme patient, Nab travaillait à Ravenscrag. L'invention d'une lampe soignant la mélancolie avait suscité beaucoup d'enthousiasme dans sa communauté, jusqu'à ce qu'un nouveau directeur décide de remplacer les traitements de luminothérapie par une autre approche, axée sur l'immersion aquatique. Les documents que je consulte montrent qu'après son congédiement, Nab a souffert d'une profonde dépression, et que c'est à la recommandation du nouveau directeur qu'on a décidé de l'interner.

*

JE SORS la tête de l'eau quand je prends conscience de cette coïncidence qui n'en est pas une : c'est le docteur Cameron qui a congédié et fait enfermer Nab. C'est tout de même étrange. Vous me direz que je n'avais pas besoin de prendre un bain pour comprendre ça, que c'était facile, que tout ça est arrangé. Je vous répondrai que vous êtes paranoïaque.

Ce livre que vous tenez entre les mains, j'ai eu pour la première fois le goût de l'écrire il y a vingt ans, avant même que la plupart des événements que j'expose ici n'arrivent. À l'époque, je me rendais à Ravenscrag trois fois par semaine pour rencontrer une thérapeute qui me recevait lors de sa garde à l'urgence psychiatrique.

De cette période de ma vie, je me rappelle surtout le processus de sécurité pour pénétrer dans cette section de l'hôpital, les détecteurs de métal, les agents qui me regardaient d'un air suspicieux quand je m'approchais d'eux pour leur dire que je n'étais pas fou.

J'avais été assigné à cet établissement parce que Nab y était médecin. C'est toujours lui que ma mère appelait quand j'avais un rhume ou que je me projetais au sol en feignant des convulsions.

Ma mère avait toujours été très fière de son jeune frère. Chaque fois qu'il passait à la télévision, je devais arrêter de regarder mes dessins animés japonais et accepter qu'on change de poste.

Nab a inventé deux appareils qui ont fait sa réputation : une lampe à diodes électroluminescentes censée guérir la dépression saisonnière et un casque à écran reproduisant les hallucinations des malades, afin que le curieux se représente la nature de nos cauchemars.

Mon oncle a été le premier à me prescrire des calmants pendant les années difficiles de mon adolescence, notamment le midazolam, dont j'ai appris, terminant *Matamore n° 29*, mon livre précédent, à apprécier les effets d'amnésie antérograde. Mon oncle a été le premier, il ne sera pas le dernier. On s'amuse comme on peut. On n'écrit pas autrement.

*

AU POINT où nous en sommes dans notre enquête, je dois retourner voir le docteur Cameron pour qu'il me prescrive de nouvelles capsules, mais surtout pour comprendre ce qui est arrivé à Nab. Je ferais tout pour m'arracher de l'esprit l'image de la dépouille de mon oncle, gisant la bouche et les yeux entrouverts, dans son lit, mais elle me hantera longtemps encore, je le sens.

Avant de partir pour Ravenscrag, je dois prendre quelques mesures préventives, de sorte à ne pas avoir l'air suspect devant le veilleur Diop.

Je me regarde dans la glace, ça ne va pas, j'ai une tête de mort, et un mort, c'est suspect. Solution : dans la salle de bain, il reste un peu de maquillage ayant appartenu à la Huguenote, je fouille parmi les pots, à la recherche du fond de teint le plus foncé, et finis par m'en appliquer une généreuse couche sur les joues. Ça ne va toujours pas : j'ai maintenant une tête de Maure, c'est pire. Changeons de tactique.

Je me lave le visage et me souviens qu'elle m'a dit, en laissant ses pots, ses ombres à paupières, ses flacons de parfum dans ma pharmacie, que les Grecs utilisaient le même mot pour dire « médicament » et « poison ». Connaître le double sens de *pharmakon* l'aidait à se souvenir que parfois, même si on a eu très mal, il faut souffrir encore un peu pour trouver le bon remède.

*

MON HISTOIRE avec ce mannequin suisse a débuté il y a quelques années, alors que j'étudiais la littérature en Europe. Même si la page est désormais tournée, et que je fais comme si cette femme n'existait plus, il m'arrive de la revoir appuyée sur la balustrade, un Bellini à la main (purée de pêches blanches, prosecco, quelques gouttes de jus de cerise au marasquin, il paraît que c'est bon). À cette époque-là, c'était le printemps, nous étions en vacances sur la côte amalfitaine et elle passait ses journées en bikini. Il m'arrive de revoir des images disloquées d'elle, sa main fine posée sur la balustrade, l'ossature de son pied, le lobe parfait de son oreille.

Comme la plupart des mannequins, elle ne mangeait pas beaucoup, afin de rester simultanément grande et petite. C'est sans doute par intérêt pour le contraste que les responsables du Salon de l'auto de Zurich l'avaient affectée au kiosque des grosses américaines. C'est là que nous avons fait connaissance. J'avais décidé d'assister à ce Salon dans le but de me documenter et de renseigner Édouard sur les dernières avancées en mécanique automobile. Certains visionnaires parlaient même du jour où l'on pourrait verrouiller les portes de nos voitures à distance, par le biais d'une télécommande activant le klaxon. Remarquez, on annonce depuis au moins trente ans qu'un jour on se nourrira exclusivement de pilules. J'attends encore.

Je l'avais abordée en lui soulignant qu'il était inhabituel de voir un mannequin se cacher dans une voiture pour lire un livre. Je venais d'ouvrir la portière pour inspecter l'intérieur de l'habitacle et je l'avais trouvée là, plongée dans une édition de poche d'Edgar Poe.

Dès le début de notre discussion, je me souviens qu'elle était surprise de mon accent; elle ne savait pas qu'on parlait français au Canada. Puis, elle m'avait expliqué son désir de s'y installer dans un futur proche.

Je m'étais assis à ses côtés, dans le siège du passager. C'est drôle, on ne se connaissait pas encore et elle était déjà aux commandes. Nous étions restés plusieurs heures à parler dans la voiture. Je me souviens très bien d'un échange au sujet de, disait-elle, ma tendance évidente à vouloir esthétiser chacun de mes gestes. Elle m'avait même servi un avertissement, oublié depuis, comme si elle avait été consciente des risques que je courais.

— Faites attention, on commence par étudier la littérature, on parcourt les salons de l'auto afin de découvrir les nouvelles technologies pour le compte de son cousin puis, avant longtemps, on se retrouve au centre d'une conspiration où les gens nous veulent du mal, où les photographies nous parlent, et où l'on avale des capsules à la chaîne.

Je me suis retenu de lui dire qu'elle était la femme de ma vie. La Huguenote et moi, nous ferions un bout de chemin ensemble.

*

LA VIE des ménages modernes étant ce qu'elle est, certaines indispositions sont apparues à partir du moment où j'ai laissé entrer la Huguenote dans mon intimité. Par exemple, quand je me dirigeais vers les toilettes, juste après nos accouplements, elle avait l'habitude de me dire :

— Vous ne prenez pas votre bain comme tout le monde.

— Que voulez-vous dire ?

— Vous ne prenez pas votre bain pour vous laver.

— Tout dépend ce qu'on entend par se laver.

Cette phrase était devenue pour moi une sorte de devise. J'étais unique, je ne me lavais pas comme les autres. Passé l'agacement, la Huguenote me souriait avec espièglerie, en feignant d'ignorer que, pour moi, me plonger dans l'iode pour y tremper mes plaies était la seule manière de stopper mes saignements.

Je pourrais vous raconter longuement ma vie avec la Huguenote, mais vous lisez un roman de science-fiction, pas un roman d'amour. Et, pour qu'il avance, ce roman, je n'ai d'autre choix que de retourner à Ravenscrag pour y rencontrer à nouveau le docteur Cameron. J'ai besoin de capsules, j'ai besoin de comprendre.

Je me résous à sortir de mon appartement. J'enfile mon manteau, attendez un peu, je vais prendre un truc au garage.

*

ÇA FAIT bizarre de sortir, les bruits extérieurs interrompent les phrases qui se forment dans ma tête. Heureusement, j'ai pris soin de convenablement m'équiper : pour contrer le vacarme de la ville, je porte le casque protecteur qu'Édouard met sur ses oreilles lorsque ses travaux mécaniques atteignent un niveau de décibels trop élevé.

Avec ce casque, ma concentration est totale, malgré le vacarme produit par les nombreux chantiers. Partout au centre-ville, tout ce qu'on voit depuis dix ans, ce sont des gratte-ciel en cours de construction. Je marche au milieu de cette activité fébrile, mais le casque assourdit tout le son.

*

JE GRAVIS la petite colline : au loin, la corneille sculptée de Ravenscrag surplombe le veilleur Diop posté à l'entrée du bâtiment.

— Vous voilà donc, professeur. Je commençais à m'inquiéter. Vous laisserez-vous enfin convaincre de profiter de nos installations, de prendre un peu soin de vous, de traiter les maux qui vous importunent ?

— Mon cher Hamadou, content de vous retrouver. J'aimerais revoir le docteur Cameron, c'est important. Croyez-vous pouvoir me conduire à lui ?

— Ça me fait rire que vous m'appeliez Hamadou.

— Pardon ?

— Vous pouvez bien m'appeler ainsi, mais je dois vous avouer que ce n'est pas mon nom véritable.

Diop est étrange aujourd'hui. Il remue les lèvres en silence, comme si la télé était en sourdine, et me fixe intensément. Je passe au niveau de concentration supérieur. Je me manifeste :

— Je ne comprends pas, Hamadou !

— C'est la pure vérité, pourtant. Racine, mon patronyme, ça aurait suffi, mais jouxté du prénom que m'a donné ma mère... J'ai toujours été la risée des gens cultivés ! Deux noms d'écrivains fabuleux, c'est dur à porter pour un enfant. Pas étonnant que j'aie été très dissipé tout au long de mon parcours scolaire, que j'aie eu des problèmes avec l'autorité... J'ai compris qu'il ne fallait pas essayer de comprendre, dans la vie, et j'ai préféré me laisser guider par la curiosité, l'ouverture d'esprit. Depuis, je refuse toute certitude, je laisse aux événements la possibilité de meubler les territoires mentaux que j'invente à mesure. Vous savez, c'est intéressant de frapper un mur. Je n'irais pas jusqu'à dire que j'aime souffrir, mais l'exploration de certaines voies passe par l'adversité. Ces choses me sont apparues de manière définitive à l'époque où j'étais technicien en datation géologique, pas très loin d'ici d'ailleurs. Je manipulais des instruments d'une grande sophistication technologique, datant à l'oxygène 18 et au carbone 14 des œuvres italiennes de la Renaissance, de grandes fresques surtout, comme celles qu'on trouvait dans le réfectoire de mon orphelinat. Un jour, mes patrons m'ont envoyé à Ravenscrag pour évaluer l'âge de la pierre sur laquelle est gravée l'énigme de Bologne, de l'autre côté du bâtiment, cette inscription devant laquelle vous avez passé la nuit, il y a quelques semaines. Professeur, êtes-vous sûr que ça va ?

Ma concentration est telle que désormais, même si je n'entends pas, je comprends. Le problème, c'est que Diop ne m'aide pas, à parler ainsi en silence, avec pas mal de simagrées, je le concède, si bien que je suis comme vous : je ne comprends pas ce que je comprends.

*

AU DÉBUT du seizième siècle, un cordonnier de Bologne découvre un métal lourd qui émet de la lumière lorsque chauffé. Sa trouvaille fait sensation et il devient la vedette des salons d'érudits et des cabinets de curiosités, à telle enseigne qu'on se met à fabriquer les pierres tombales des notables de la région avec cette matière. Le plus célèbre de ces monuments funéraires demeure cette pierre sur laquelle est gravée une énigme qui obsède les aficionados depuis quatre siècles et dont le mystère n'a jamais été élucidé.

Mario Michelangelo a publié en 1548, à Venise, un ouvrage de quatre cents pages s'intéressant à l'énigme. Pour sa part, le comte Malvasia en propose, dans *Ælia Lœlia Crispis non nata resurgens in expositione legali*, quarante-trois résolutions : ce serait la pluie, l'âme, un enfant promis en mariage mais décédé avant sa naissance, un chêne, un *numen* féminin considéré comme la source de la fontaine, un vase, une mère, la source de vie.

Carl Jung consacre à la question dans *Mysterium Conjunctionis* un long chapitre tandis que Gérard de Nerval cite l'énigme dans deux de ses textes.

Aussi connue sous le nom *Ælia Lœlia Crispis*, l'énigme de Bologne a suscité de nombreux commentaires qui révèlent, chacun à leur manière, le travail de l'inconscient collectif.

Moi, je tolère bien le caractère énigmatique de tout, tant que ça ne produit pas chez moi trop d'angoisses. Si ça en produit, tant pis, je me soigne.

Mais si on ne peut pas se soigner, on fait quoi ?

*

ÆLIA LÆLIA CRISPIS, ni homme, ni femme, ni androgyne, ni fille, ni garçon, ni vieille femme, ni femme publique, ni chaste, mais tout cela.

Enlevée ni par la faim, ni par le fer, ni par le poison, mais par tout cela.

Ne repose ni au ciel, ni dans les eaux, ni en terre, mais partout.

Lucius Agatho Priscus, ni mari, ni amant, ni parent, ni lamentant, ni réjouissant, ni pleurant, ni élevé pour elle, ni tumulus, ni pyramide, ni tombeau, mais tout cela.

Il sait et ne sait pas ce qu'il a élevé et pour qui.

Voici le tombeau qui ne renferme pas de cadavre.

Voici le cadavre qui n'est pas recouvert d'un tombeau.

Mais le cadavre qui est son propre tombeau.

*

APRÈS quelques minutes à tenter de lire sur les lèvres de Diop, et au moment de me demander si je ne suis pas atteint de surdité spontanée, je me rends compte que j'ai sur la tête le casque protecteur d'Édouard. Je l'enlève aussitôt, en espérant que mon interlocuteur ne s'aperçoit pas de mon étourderie :

— Que disiez-vous, mon cher Diop ?

— Je vous racontais que mon travail sur cette étrange pierre a coïncidé avec une sorte d'appel, comme si une voix intérieure m'invitait à entreprendre une quête vers la compréhension des structures qui fondent le monde. L'étude de cette pierre m'a donné envie de détruire ces structures, pour mieux les rebâtir ensuite. De fil en aiguille, je me suis tourné vers l'architecture.

Vraiment plus agréable quand on entend. Le hic, c'est que l'architecture, ça ne me dit rien. Je vais le lancer sur sa spécialité, ça marche toujours.

— Ah, j'adore l'architecture, je m'y connais assez bien. Vous dessinez des maisons ?

— J'ai plutôt fréquenté une école expérimentale, à Vico Morcote, en Suisse, où j'ai gagné ma vie comme apprenti vigneron, bien que j'aie surtout passé mon temps à besogner la fille du propriétaire du vignoble, qui me maudit sans doute moins pour la défloration de sa cadette que pour avoir planté à l'envers les pousses de ses vignes. Quand je me lassais de mes petits jeux érotiques, je partais, je roulais jusqu'à La-Chaux-de-Fonds, une ville construite de toutes pièces par Le Corbusier, ça me donnait ma dose de modernisme.

— Nous aurions pu nous rencontrer lors de votre séjour dans cette région. J'ai moi-même visité à quelques reprises l'Émilie-Romagne, où habite un ami, une espèce de Casanova sémiologue.

— Nous nous sommes sans doute rencontrés. J'avais une tout autre tête. Je me suis décoloré avec le temps. Je fréquentais alors une école qui avait été construite au milieu d'un immense terrain industriel. Je m'attendais à des installations neuves, à du mobilier à la fine pointe des découvertes en ergonomie, alors imaginez ma surprise quand je me suis retrouvé dans une grande salle bétonnée, absolument vide, sans tables ni chaises. Le professeur appelait sa méthode d'enseignement le *basic training*. Quand les étudiants ont commencé à se plaindre de maux de jambes et à demander des pupitres, il a dit : « Si vous voulez des tables et des chaises, allez les construire. Les matériaux sont à l'extérieur, voici le budget pour vos outils. Vous avez carte blanche, expérimentez, devenez qui vous êtes, fût-ce des fabricants de tables et de chaises. » Un original comme vous aurait peut-être apprécié ce genre de défi, mais, pour ma part, j'ai bloqué.

— Arrêtez, je suis loin d'être un type original, je tourne plutôt en rond. La preuve : je suis né à l'Hôpital Royal Victoria, à deux cents mètres d'ici, je me suis fait circoncire par erreur, j'ai grandi dans le nord de la ville avant d'être perdu au jeu par ma mère, de m'enfuir, puis d'être enfermé dans un orphelinat catholique.

Lorsqu'il entend ces deux derniers mots, « orphelinat catholique », Diop a une réaction oculaire particulière, ce n'est pas un clin d'œil, plutôt une sorte de mouvement de sourcils. De toute évidence, quelque chose le chicote. Je feins l'innocence.

— Hamadou, votre parcours académique me passionne, mais si je suis ici, c'est que je dois voir le docteur Cameron au plus vite.

— Très bien. Malheureusement, il ne vous sera pas possible de le rencontrer, les protocoles de sécurité ont encore été resserrés depuis hier soir.

— Pourquoi donc ?

— Quelqu'un a réussi à s'infiltrer dans notre ordinateur pour obtenir des renseignements sur les expériences en cours. Inutile de vous dire que le docteur Cameron est hors de lui et qu'il ne veut voir personne depuis. Pas même sa fille, c'est vous dire.

*

J'INSISTE pendant quinze minutes, lancé dans une énumération de malaises et de symptômes qui vient à bout du veilleur Diop. Il consent finalement à me laisser entrer à l'intérieur de Ravenscrag et nous passons sous la corneille de pierre. Les couloirs et les étages se multiplient sous le niveau de la rue, nous entraînent toujours plus bas. J'essaie de rester aux aguets, malgré les cris provenant de certaines chambres. Visiblement, nous n'allons pas chez le psychiatre.

— J'espère que vous ne pensiez pas que ce serait aussi facile d'accéder au docteur Cameron... Je vous ai expliqué que, lorsque le patron dit quelque chose, on écoute et on se tait. En revanche, une baignade dans notre piscine vous fera le plus grand bien.

— Je veux bien faire une ou deux longueurs si vous acceptez de recommander ma requête à votre patron.

— Très bien. Quoi qu'il en soit, nous devons d'abord nous rendre chez mademoiselle Cameron parce qu'une procédure vient d'être instaurée pour les nouveaux baigneurs : certains doivent se munir d'un casque de bain cognitif pour pénétrer dans l'eau. Je vous dis ça, mais je n'ai aucune idée de ce que fait ce casque, qu'on appelle ici CABCO, pour la simple raison qu'il n'est encore jamais arrivé qu'un visiteur ait à en porter un. Il s'agit sans doute d'une formalité; en deux petites minutes, nous obtiendrons l'autorisation et vous serez prêt à plonger.

*

DIOP revient quinze minutes plus tard, avec dans les mains une toile de nylon de la taille d'un sous-plat d'où surgissent plusieurs fils et électrodes.

— Mademoiselle Cameron s'est montrée très intéressée par votre dossier et a procédé à toutes sortes d'analyses. Elle a même réussi à convaincre son père d'ajuster lui-même les réglages de votre casque de bain cognitif. Tout est fin prêt pour la baignade.

Nous repartons à travers les couloirs de Ravenscrag en suivant l'odeur du chlore. Diop désactive le système d'alarme qui arme l'entrée magnétique et laisse paraître son excitation; il s'apprête à me montrer son endroit préféré du manoir.

— Bienvenue dans votre zone de repos et de ressourcement. Vous n'êtes pas obligé de parler tout de suite, laissez l'effet agir.

Sur ces mots, il ouvre une épaisse porte de métal percé d'un hublot de verre brossé.

*

C'EST un choc : la piscine est bordée d'immenses statues de marbre noir, rappelant celles de la fontaine de Trevi, mais au double de l'échelle. À une extrémité de la piscine se trouve la représentation d'un nain tiré par des corneilles qui s'envolent dans différentes directions. Le plafond est une gigantesque voûte en ogive recouverte de fresques italiennes. Au pied des personnages de marbre, l'eau se déverse dans un bassin où j'ai soudain très envie de me jeter.

J'avance d'un pas, mais Diop m'arrête et adopte un ton didactique :

— Une fois dans la piscine, vous tendrez à couler. Une légende rapporte que le bassin et son système de conduits communiquent même avec le réservoir McTavish, en bas de la montagne, mais vous savez ce que valent les légendes. Pour le reste, vous êtes chanceux, il n'y a personne, aujourd'hui. Les patients viennent seulement le matin pour leur immersion, tandis que, le soir, les baigneurs utilisent la piscine à leur guise. Je crois que la fille du patron voulait que vous en profitiez seul, elle a vérifié les écrans de surveillance avant de me donner l'autorisation de vous emmener ici.

Je souris, mais il ne me gênerait pas de prendre congé du veilleur le temps d'enfiler mon maillot. Il ne bouge pourtant pas, me surveillant à un point tel que, si je ne connaissais pas son goût pour les femmes, je le penserais impatient de me voir dans mon plus simple appareil. Je me prépare donc psychologiquement à être nu devant lui, j'enlève mon veston, mes chaussures, ma cravate, ma chemise, mon pantalon et mes chaussettes.

Diop se surprend de mes tatouages :

— Vos décorations corporelles sont impressionnantes.

Contre toute attente, il s'approche, me saisit le bras gauche et le soulève pour observer les deux étoiles tatouées à l'intérieur, puis il m'interroge sur le méridien qui parcourt mon dos, de la nuque au coccyx.

— Quel est le sens des petites lignes perpendiculaires qui croisent la longue ligne verticale ?

— Elles marquent les morts de ma vie. Chaque fois que je perds quelqu'un qui m'est cher, je me fais tatouer un trait horizontal, façon de porter sur moi les stigmates du passé.

— Et vous en avez un tout récent, à ce que je vois à la croûte de sang séché.

— Oui, c'est en mémoire de mon oncle Nab, décédé il y a quelques mois.

Sans commenter, le veilleur baisse le regard sur mon costume de bain.

— Votre maillot est particulier, je n'en ai jamais vu de pareil, ample et bigarré. Les motifs fleuris évoquent les îles !

— Un ami me l'a rapporté d'un voyage dans le Pacifique. Puis-je plonger, maintenant ?

— Oui, il ne vous reste plus qu'à enfiler le CABCO.

Je ressens l'angoisse qu'on expérimente chez le dentiste.

Le veilleur fixe le dispositif sur ma tête avec délicatesse à l'aide d'un papier autocollant exacerbant le contact électrique. Le casque est vite installé, une électrode sur la tempe gauche, une électrode sur la tempe droite ; une fois toutes les connexions branchées, on dirait un bonnet de douche.

J'éprouve une sensation inédite : j'ai mal au cuir chevelu, comme si cette partie de mon corps était soudain de trop. Je m'approche lentement de la piscine. Diop me fait signe que je peux y aller.

*

COMME je suis frileux, je pénètre dans l'eau selon l'ordre de mes membres en position debout. L'eau n'est pas si froide, mais j'anticipe le moment d'immerger le bas-ventre. Si vous avez des testicules, vous comprendrez ce que je veux dire.

L'étape pelvienne passée, je me sens plus léger. À mesure que ma tête descend vers la surface de l'eau, des souvenirs affluent, je flotte dans une matrice tiède et souple, adaptée à ma taille. Je suis à la bonne place. Tout va bien.

Je plonge la tête sous l'eau et regarde onduler au-dessus de la surface les sculptures de corneilles, de plus en plus floues, jusqu'à ce que la noirceur du marbre se mêle à celle de l'eau.

Le casque semble fonctionner sans accrocs. Je n'ai plus mal au cuir chevelu, mais je touche ma tête et constate que, sous la toile de nylon, je n'ai plus de cheveux : mon crâne est mou par endroits, et mes fontanelles sont dessoudées. On progresse.

*

— PUSH, Mrs. Safi, push, you are almost done.

L'obstétricien dit à ma mère de pousser. J'ai la tête bien engagée dans son vagin, mais vous essaierez, c'est plus facile d'y entrer que d'en sortir. Je tente de me repositionner, je pousse de tout mon crâne les glaires et le sang, et mon front, dans sa progression, écrase les intestins de ma mère.

J'ai peur de me retrouver le nez dans les excréments, ça me ferait un drôle de début, parmi un milliard de bactéries. À la décharge du personnel médical, j'ai vu dans un reportage que les préposés sont très bien formés pour affronter ce genre de situation.

Une infirmière prend la relève de l'obstétricien et crie :

— Poussez, madame Safi, allez-y !

Elle s'adresse à ma mère en français, ça va la rassurer.

Je me laisse descendre plus profondément dans

la piscine en même temps que je m'extirpe de ma mère, puis je ressens une puissante contraction musculaire.

J'ai froid, d'un coup, comme si pour la première fois j'avais une peau.

Je passe d'un régime à l'autre, l'air devient ma nouvelle eau : je nais.

L'obstétricien félicite ma mère. Voyant qu'elle ne comprend pas, l'infirmière joue les interprètes :

— Félicitations, madame, c'est un garçon. N'ayez crainte, j'ai pris en charge la circoncision, tout est réglé. Si je peux me permettre de vous partager un petit bout de mon savoir hébraïque, sachez que, pas plus tard que ce matin, le rabbin d'une synagogue à laquelle j'ai fait un don généreux a béni ma maison avec une Torah écrite à la main par des religieux de Jérusalem. C'est un très bon signe pour le bébé. Vous voyez que vous aviez tort de ne pas vouloir accoucher au Royal Victoria...

En dépit des analgésiques et des réparations au bloc honteux, ma mère parvient à dire que c'est malgré elle qu'elle a toujours craint les édifices victoriens. Toujours en traduction simultanée, l'infirmière répond :

— Madame, il faut arrêter, avec les superstitions !

*

JE CONTINUE de nager. Je continue de descendre, mais pourtant j'ai l'impression de remonter. Est-ce possible que je nage déjà vers la surface ?

J'envisage de résister, mais une nouvelle époque de mon passé m'emporte.

*

JE SUIS enfermé depuis plusieurs jours dans le cube blanc au fond de notre appartement du *Topaze,* à Cartierville. Selon ma mère, c'est là que je suis le plus en sécurité, médicalement parlant. Dépourvue de fenêtres, cette pièce empêche les courants d'air et annihile toute possibilité que des agents chimiques aérosol arrivent jusqu'à moi et m'affectent. J'ai passé une partie de mon enfance dans cette chambre hermétique. Ça peut paraître terrible. Ça l'est.

Ma mère vient souvent me voir et contrôle rigoureusement mes ingesta et mes excreta, ainsi que mon taux de sudation. D'aussi loin que je me souvienne, elle me parle en termes médicaux. Elle se réfère souvent à *Mille secrets, mille dangers,* un livre de vulgarisation médicale qui lui sert de bible et de mode d'emploi pour combattre mes maladies. Grâce à cet ouvrage, ma mère a élaboré un régime alimentaire reposant sur une loi fondamentale : il faut éviter les mélanges à tout prix.

Les règles du régime sont complexes. Je donne un exemple : parce qu'ils proviennent de la race bovine, les produits laitiers ne doivent jamais être consommés avec des mets tomatés, dont l'acidité modifie la structure cellulaire du lait, ce qui risque de le faire surir. Souvent, on évoque l'argument dit « de la sauce rosée » pour contester la validité de cette hypothèse. La réponse de ma mère peut paraître sibylline si on ne connaît pas les antagonismes biochimiques de son théorème lait/tomate : rien ne prouve que ce type de sauce, aux molécules altérées, n'a pas causé l'intoxication de quarante-six jeunes étudiants français à Salerne, au sud de Naples, en 1937, juste avant l'établissement de la politique raciste de Mussolini.

Vous faites des cauchemars après avoir mangé de la tartiflette ? C'est le même principe.

*

POUR les œufs aussi, la vigilance est de mise.

Deux heures avant et après l'ingestion, le poisson est interdit. Ma mère a remarqué que ce mélange fait transpirer. Or la sudation est strictement bannie, le jour et la nuit, en janvier comme en juin. À chaque heure, ma mère s'assure que je ne suis pas en sueur, que ma camisole de fils d'immigrants n'est pas trempée.

Dans son système, rien n'est plus grave que la transpiration. Si je me trouve dans un courant d'air, si je prends froid, les conséquences sont désastreuses. Des jours durant, ma mère me frictionne vigoureusement, et, fait curieux, c'est quand elle m'impose ce type de traitement que j'ai le plus mal au ventre, et que recommencent les saignements.

Lorsque mon état périclite, elle se révolte contre le destin, se demande ce qu'elle a pu faire au Bon Dieu pour mériter un enfant aussi malade, aussi fragile, sa vie est un sacrifice, et pourtant elle m'a tout donné.

*

DEPUIS combien de temps suis-je sous l'eau ?

D'où me vient l'oxygène ?

Ma chair s'est-elle flétrie ?

Comment m'astreindre à regagner la surface quand le passé me tire vers le fond ?

Le temps ne compte plus, je suis un homme-poisson, j'oscille dans les courants.

*

COMME je suis un enfant qui nécessite des soins particuliers et une surveillance de tous les instants, et qu'un mélange ou une sudation surviennent si brusquement, ma mère ne peut pas travailler. Elle n'a d'autre choix que de tout sacrifier pour moi. Ainsi, bien que je n'aie que huit ou neuf ans, je fais de mon mieux pour rapporter de l'argent à la maison. Tous les soirs, en rentrant de l'école, je fais du porte-à-porte, vends des savons ornementaux. Mon trajet dans les rues de Cartierville me mène parfois jusqu'à l'Institut

Albert-Prévost, où je croise monsieur Aquin, le commandant de l'Organisation spéciale, souvent occupé à écrire dans un calepin, assis face à la rivière des Prairies. Certains jours, les ventes étant anémiques, je dois traverser le pont Lachapelle jusqu'à L'Abord-à-Plouffe, dont les habitants se montrent généreux quand je leur dis que ma mère est libanaise et que je travaille pour subvenir à nos besoins.

Toutefois, la vente de savons ne suffisant pas à payer nourriture et loyer, ma mère cherche d'autres manières de gagner de l'argent, dont le jeu. Elle répète que, puisqu'elle ne boit pas, ne fume pas, ne fréquente pas d'hommes, ce petit vice ne devrait pas nous causer de soucis.

Trente ans plus tard, je ne me considère pas en position de juger ma mère moralement, moi qui suis sous l'eau, avec comme seules ressources un casque de bain technologiquement sophistiqué, ma paranoïa et une histoire tirée par les cheveux.

*

TOUT compte fait, le vice de ma mère nous en cause, des soucis. Pour compenser ses pertes et augmenter ses revenus, les savons ne suffisant pas, elle joue aux courses de plus en plus souvent et achète mon silence en m'emmenant à la grosse orange, voisine de l'Hippodrome, passant outre ses principes. Hermas Gibeau, créateur de l'Orange Julep, utilise des œufs dans son jus, mélange proscrit par la table des mélanges.

Pour une raison que j'ignore encore aujourd'hui, ma mère décide que sa fortune lui viendra d'un pur-sang arabe nommé Smooth Muscle. Ce cheval nous rendra très riches, nous donnera les moyens d'acquérir une concession en Cochinchine, et financera un jour l'achat de mes complets italiens.

Évidemment, rien ne se passe comme prévu. Les dettes continuent de s'accumuler malgré les stratagèmes et calculs élaborés par ma mère, à partir de ses rudimentaires compétences comptables. Pour s'en sortir, elle note ses calculs délirants sur de petits bouts de papier. Elle dit s'y retrouver, dans ces gribouillis. Moi, je sais qu'elle s'y perd. Son plaidoyer reste le même : je ne bois pas, je ne fume pas, je n'ai pas d'homme, ce n'est pas un malheureux petit vice qui va détruire notre vie.

Les mois passent et la pression augmente. Notre situation devient vite intenable. Nous vendons alors peu à peu la plupart des objets que nous possédons, le téléviseur Zenith, la vaisselle Royal Albert, la crédence en bois de rose, la radio transistor, des rouleaux de cellophane et ce qui nous reste de savons, gardant les saphirs et les émeraudes jusqu'au dernier moment. Puis ma mère commence à emprunter de l'argent aux petits caïds qui gravitent autour du *Topaze*, les racketteurs sans scrupules des vieilles du quartier. Leur argent nous aide un temps, permet notamment de payer les funérailles de Téta Aïda, ma grand-mère.

Assez rapidement, cependant, on cogne à notre porte pour récupérer le capital prêté plus intérêts. Au début, je ne me mêle pas des négociations, j'écoute depuis la pièce sans fenêtre les conversations tendues et parfois animées entre ma mère et ses créanciers.

Les choses se compliquent à partir du jour où ma mère m'envoie répondre à la porte, se réfugiant à son tour dans le cube blanc où elle m'oblige à vivre. Les caïds s'en prennent alors directement à moi.

C'est Lozeau et Ti-cul Godin qui m'effraient le plus, je ne saurais dire si c'est la veste de cuir du premier, ses bottes tachées, ou encore l'haleine d'alcool et le visage balafré du second. À deux reprises, ils saccagent notre salon en criant comme des animaux, font déborder les éviers en les bouchant avec des linges à vaisselle, se servent dans notre frigo, lancent par terre nos répliques en albâtre des pyramides de Gizeh. Aujourd'hui, comme écœurés par cette dépense d'énergie stérile, ils me donnent un ultimatum.

Quand on me menace, je résiste, c'est plus fort que moi. J'explique aux petits caïds que jamais on a vu un puisatier tirer de l'eau d'une roche, qu'ils n'obtiendront rien de nous, qu'ils n'auraient pas dû prêter de l'argent à ma mère, que c'est elle la responsable, qu'ils peuvent la tuer si ça leur chante, mais que moi, je n'en peux plus de vivre dans ces conditions, qu'il faut que j'étudie pour mes examens.

La réponse de Lozeau résonne dans le CABCO :

— Farah, t'auras beau aller à l'école toute ta vie, tu resteras toujours un crisse d'importé, un minable de Cartierville, pis de toute façon, c'est pas ta mère qu'on va tuer si vous payez pas, c'est toi.

*

UN SOIR, ma mère m'annonce que, si elle veut garder l'appartement, elle doit faire un gros gain, fût-il proportionnel à un gros risque. Lorsque des voisines se mettent à débarquer chez nous une à une ou par petits groupes, je comprends que notre appartement est sur le point de se transformer, le temps d'une soirée, en casino clandestin.

La table de dés installée, ma mère me demande de m'asseoir sur un fauteuil, au centre de la pièce. Je suis désormais bombardé des regards avides des voisines, de grasses Arméniennes aux bijoux en toc, qui sentent la transpiration. Elles me sourient de toutes leurs dents déchaussées, pleines de désir et de convoitise.

Ma mère, qui comprend que je comprends, s'approche de moi et me chuchote à l'oreille :

— Ne t'inquiète pas, elles n'auront jamais l'argent pour miser sur toi.

La soirée se déroule en fin de compte assez bien. Ma mère gagne, elle est heureuse, me dit qu'elle m'aime, et j'en arrive à croire que ce casino était peut-être après tout une bonne idée. Mais aux douze coups de minuit, la porte s'ouvre sur une invitée très riche, arborant, en bonne Libanaise parvenue, des bijoux en or véritable. Elle est escortée par Lozeau et Ti-cul Godin. Elle fait signe à ma mère qu'elle veut m'examiner de plus près. Les larbins m'amènent devant elle. D'un geste dépourvu d'hésitation, elle me déculotte, puis elle me tâte les testicules. Elle se tourne vers ma mère alors que je relève mon pantalon :

— J'ai toujours rêvé de posséder un petit juif comme lui.

*

UNE DÉCHARGE électrique à l'intérieur du casque produit une interférence. J'ai soudain l'impression de remonter à la surface, mes oreilles se débouchent, et j'aperçois un halo de lumière qui se dilate lentement.

Il est temps que je sorte de l'eau.

*

LA RICHE LIBANAISE parée d'or parie méthodiquement jusqu'au coup de dés qui lui permet de me gagner.

C'est quelque chose, je vous assure, de voir le visage de sa mère qui perd tous ses gains de la soirée et son fils en même temps.

Ti-cul Godin s'approche de moi pour me remettre à ma nouvelle propriétaire, mais Lozeau l'interrompt pour s'adresser à nous :

— Allez pas brailler qu'on vous l'a volé, votre bébé, madame Safi. Vous l'avez perdu vous-même. Pis toi, Farah, tu vas voir que la patronne va s'occuper de toi. Elle te perdra pas au jeu.

Cette phrase met le feu aux poudres dans mon cerveau, si bien que je me mets à courir, m'enfuyant sans même enfiler mes bottes.

En sortant du *Topaze*, je cours dans les rues noires de Cartierville jusqu'au boulevard Gouin, passant devant l'Institut Albert-Prévost. Je ne sais pas si les caïds me suivent, je regarde en avant, je me demande où je vais, puis je croise le boulevard Laurentien et la grande affiche du Commodore. Presque sans ralentir, je m'engouffre dans le cinéma.

Je sais que les salles obscures sont le pire endroit pour se planquer, mais, mettez-vous à ma place, je suis désormais sans mère et j'ai les pieds gelés et en sang.

*

ON S'ENTEND : au *Topaze*, point central du ghetto libanais où j'ai grandi, les Lozeau et Godin ne sont pas légion. Sachant cela, aurais-je dû baptiser mes petits caïds Abdel, Shafik ou monsieur Youssef et leur donner une position hiérarchique enviable dans le gang de rue qui clone les cartes de guichet à la station-service ?

Non. Je ne suis pas sociologue. La confusion est ma méthode.

Question subsidiaire : avant d'être transformé en club vidéo, le Commodore a-t-il présenté une seule fois *Léolo* de Jean-Claude Lauzon d'où j'ai tiré Lozeau et Ti-cul Godin ?

Non, mais il m'arrive de m'imaginer assis dans cette salle, dans le noir, en compagnie d'Édouard, à regarder en boucle des scènes filmées par ce grand cinéaste. Un vieil homme en fauteuil roulant abat un éléphant dans un zoo, d'un coup de carabine ; l'Italie surgit d'une garde-robe du Mile-End.

Un Cessna s'écrase dans une forêt d'épinettes en bordure d'un cratère du Nouveau-Québec.

*

MES PIEDS se réchauffent peu à peu. Il y a peut-être dix minutes que je suis installé dans la rangée du fond, je regarde une actualité cinématographique qui montre les troupes d'Hitler marcher sur la Pologne, quand les policiers font irruption dans le cinéma pour s'emparer de moi.

Ils m'interrogent dans une pièce adjacente à la salle de projection.

Pour éviter d'accuser ma mère, j'invente une histoire saugrenue, je leur raconte que je viens du futur, que je me suis matérialisé sans douleur dans cette salle de cinéma, qu'ils ne doivent pas s'inquiéter, que d'où je viens c'est fabuleux, qu'on se nourrit de pilules, que tout le monde a un cinéma à la maison et que voyager dans le temps, c'est banal.

Ils n'ont pas l'air de faire grand cas de mon histoire, n'ont visiblement pas l'intention de transmettre cette information au FBI. Avant le lever du jour, les instances bureaucratiques ordonnent mon transfert à l'orphelinat catholique Augustin Roscelli. Des sœurs italiennes m'accueillent avec générosité et me jumellent à Montaigne Racine, un garçon haïtien qui éternue lorsque je le salue la première fois. Je suis soulagé, non pas tant d'avoir un nouvel ami que d'avoir échappé aux griffes baguées d'une nabab libanaise.

*

J'APPROCHE de la surface de l'eau, mais je n'arrive pas à l'atteindre, comme si quelque chose me ralentissait. J'arrache le casque cognitif et suffoque aussitôt, mais en quelques mouvements énergiques, j'émerge enfin. Je me rends compte avec étonnement que je nage maintenant dans un grand lac recouvert d'un dôme. Une fois sur la berge, je cherche du regard une sortie, ce n'est pas simple, à travers les étroits corridors de béton qui longent d'énormes cuves de plusieurs dizaines de mètres de haut. Je marche quelques minutes à tâtons dans le noir, en grelottant, et trouve bientôt une porte menant vers l'extérieur. Je l'ouvre, quoique l'idée de sortir dehors mouillé, torse nu et en bermuda ne m'enchante pas. À l'extérieur, l'évidence me frappe : je suis devant mon pavillon, de l'autre côté de l'avenue McGregor, où se trouve le réservoir McTavish.

J'ai dû être emporté jusqu'ici par un système de canalisations.

Il faut que je parle à Candice. Pourvu qu'à son habitude elle soit à son bureau.

Je traverse la rue, pieds nus dans la neige.

*

JE MARCHE d'un pas rapide dans les corridors du Pavillon des Arts de McGill, en faisant attention de ne pas glisser. Si je me dépêche ainsi, c'est que je suis impatient de retrouver mon adjointe. Elle va apprécier mon récit, c'est du bon matériel.

Arrivé devant le bureau de Candice, surprise : à sa place, les jambes croisées, Salomé m'accueille avec un sourire qui trahit à la fois l'assurance et le soulagement. Comme à la soirée d'inauguration de la Place Ville Marie, elle prend les devants de la conversation :

— Je suis restée assez longtemps habitée par ces mots que vous avez prononcés le soir de notre rencontre : un baiser tuerait si la beauté n'était pas la mort... J'aime aussi beaucoup Mallarmé.

— Vous venez ici au milieu de la nuit pour me parler de littérature ?

— Je me demandais surtout où vos dernières pérégrinations vous avaient fait aboutir. Depuis notre rencontre, j'ai relu les Évangiles. Vous savez quel est mon épisode préféré ?

— Dites-moi.

— Jésus demande à un possédé son prénom ; ce dernier lui répond : « Légion, car nous sommes nombreux ». Ça m'a fait penser à vous, car vos livres comptent pour moi. D'ailleurs, votre roman avance-t-il ? Récemment, un journal annonçait que votre livre porterait sur les liens entre McGill et la CIA, est-ce vrai ?

— Écoutez, Salomé, je vais être franc avec vous. Vous êtes une jeune femme remplie de pétulance et d'esprit, mais j'apprécie assez peu de vous retrouver dans le bureau de mon assistante comme si de rien n'était. Votre présence ici cette nuit témoigne d'un déséquilibre.

*

— ON SURESTIME les vertus de l'équilibre. Eco m'a dit que vous cherchez de l'intensité. Vous êtes malade, professeur ; approchez-vous de moi, je serai votre remède.

— C'est délicat de vous soucier de ma santé, j'avais oublié que vous étiez une femme résolue.

— Avez-vous lu le livre que je vous ai remis avant

que vous ne partiez brusquement, le soir de l'inauguration ? On peut implanter des souvenirs dans le cerveau, on possède désormais la technologie pour ça.

— C'est très intéressant, mais, dites-moi, j'espérais voir mon adjointe. Comme c'est son bureau...

— Vous parlez de cette Suissesse antipathique et peine-à-jouir, qui est là vingt-quatre heures sur vingt-quatre ?

— Candice doit vous trouver vulgaire et je la comprends.

— Ne vous fâchez pas. Dites-moi seulement d'où vous revenez, dans ce chic bermuda fleuri.

— Ça ne vous regarde pas.

— En effet, vous pouvez bien aller nager en pleine nuit si ça vous chante.

— Qui vous demande la permission ?

— Je pensais que la piscine se trouvait *en haut* de la montagne derrière l'hôpital psychiatrique, et pourtant on vous trouve *en bas*, dans votre maillot, trempé comme une soupe.

— Je suis fatigué, vous ne tirerez plus un mot de moi.

— Vous êtes décidément de mauvaise compagnie, ce soir, professeur. Je pensais que nous étions complices. Enfin, comme à notre première rencontre, je vous offre un cadeau qui vous fera réfléchir. Et la prochaine fois que nous nous reverrons, je vous réserverai le sort que le Christ réserve à l'Adversaire : je vous ferai sortir de votre corps.

Sur ces mots, Salomé dépose sur le bureau un boîtier de plastique plat et carré, se lève du fauteuil de Candice et quitte la pièce en m'effleurant.

*

ENFIN chez moi. Le taxi qui m'a ramené semblait surpris de me voir embarquer torse nu et en bermuda, au cœur de l'hiver, mais il ne m'a posé aucune question.

Je place devant moi, sur la table de cuisine, ce curieux objet offert par Salomé. C'est un cercle en miroir d'un côté et noir de l'autre, sur lequel est écrit, dans une typographie vaguement chinoise, « Wu-Tang Clan, *Enter the Wu-Tang (36 Chambers)* ». Curieuse décoration murale. Candice me trouvera un cadre.

Je vais attraper la crève, mais, même frigorifié jusqu'aux os, je n'ai pas le courage de prendre un bain. Je ne regarde pas l'heure, je ne veux pas savoir si la nuit achève, pas question de faire quoi que ce soit sans au moins huit heures de sommeil consécutives, surtout que je ne suis plus protégé par mes capsules et que le docteur Cameron semble désormais inaccessible.

Pour l'instant, le plus sage est de me caler confortablement dans mon fauteuil et de laisser le sommeil venir à moi, comme le font les gens qui se tranquillisent au moyen de substances chimiques.

J'allume la télévision. Peut-être ma série de science-fiction japonaise joue-t-elle cette nuit ?

*

PAS DE CHANCE, je tombe sur un film italien.

Un hélicoptère transporte une statue de Jésus vers la cathédrale Saint-Pierre, suivi d'un autre hélicoptère dans lequel on retrouve Marcello, le héros, qui convainc le pilote de faire un détour au-dessus d'une grande terrasse où se font bronzer deux filles superbes en bikini.

Ces deux filles, je les connais :

La première est une copie conforme de Candice, blonde, filiforme et honnête ; la seconde me fait penser à Salomé par son regard aguicheur, ses cheveux foncés et son maquillage plus sophistiqué qu'une sculpture de Bernini. Moi, je m'identifie évidemment à Marcello, ancien photographe de presse, plus ambitieux que son ami Paparazzo, puisqu'il rêve de devenir écrivain.

Nous sommes à Rome, sur le tarmac d'un aérodrome, le temps est absolument magnifique, et tout le monde regarde Sylvia, une star d'Hollywood, qui à la descente de l'avion se fait offrir de la pizza.

Sylvia, la plus belle femme de la création. En elle, corps et image du corps se disloquent.

Vous pouvez relire, je ne suis pas certain de ce que je veux dire, je sais seulement que je peux regarder des images d'Anita Ekberg dans la fontaine de Trevi avec la même vénération que lorsque, gamin, je regardais des images de femmes en sous-vêtements dans les catalogues Sears.

*

LE NÉORÉALISME a-t-il un avenir ? Un journaliste pose cette question à Sylvia à sa descente de l'avion.

Le personnage joué par Ekberg est une créature de surface. On le comprend quand elle fait la fête, entourée d'hommes qui la désirent, dans un club situé au milieu des ruines romaines, quand elle danse au son du rock and roll ou me dit, après avoir ramassé un chaton perdu : « Il lui faut du lait, bello, va en chercher ! »

J'y vais.

Les sœurs de l'orphelinat catholique le savaient bien : l'Italie est une terre fertile pour les miracles. Même si le film n'est pas la réalité, deux enfants assistent à l'apparition de la Vierge dans un terrain vague tandis que, sur une autoroute, des moutons bloquent la circulation.

La nuit et le silence pèsent sur moi, je regarde la télévision et, par la force de la pensée, j'essaie de rejoindre sur la plage Marcello, de me faire servir une boisson rafraîchissante par Émilie, ma fille.

Nous pourrions sortir, Marcello et moi, jusqu'à quatre heures du matin, et au milieu de la nuit manger des pâtes, flirter avec les serveuses, mais dans le film mes soirées se déroulent surtout dans des villas, de vieux châteaux où je cherche à débusquer, parmi les héritiers désabusés des richesses aristocratiques, les fantômes, les amis anciens, les amours perdues.

J'aime cette vie de personnage, cette vie douce, sans psychologie, cette vie de surface. J'aimerais qu'elle se termine par le monologue d'une femme ou une scène d'orgie mentale, mais je sais d'avance que je m'échouerai devant une immense créature marine inerte sur la plage et qu'après avoir tué la nuit, j'entendrai Émilie, mon enfant, ma fille, séparée de moi par un ruisseau, me dire : « Je suis là pour te sauver. » Trop concentré à retranscrire ce que je vois à la télévision, je ne l'entendrai pas et périrai en silence.

*

UN SON discret en provenance du vestibule interrompt ma retranscription du film de Fellini. Une enveloppe apparaît sous la porte. J'espère que Salomé ne m'a pas suivi.

Par le trou du store, je distingue la silhouette d'une femme légèrement plus grande que moi, cheveux blonds remontés en chignon, robe rayée tombant jusqu'au milieu des cuisses. Elle s'éloigne d'un pas rapide.

Je songe à remettre mon pantalon pour la poursuivre, mais j'abandonne l'idée en découvrant à mes pieds, sur le plancher du vestibule, l'enveloppe où il est écrit « De Candice ».

*

CHER FOU,

Nous ne nous sommes pas revus depuis notre dernière dispute. Comme tu t'en doutes, j'ai décidé de me retirer et d'arrêter de jouer à ton petit jeu. J'espère que tu vas bien et que tu contrôles mieux tes angoisses.

De mon côté, je n'ai évidemment pas arrêté de travailler sur notre projet, j'accumule les découvertes, mais je m'inquiète un peu de ta réaction.

Tu te rappelles de MK-Ultra, du Projet Bologne ? Imagine-toi que ce programme ne se limite pas à des institutions militaires, mais que les tentacules de la CIA s'étendent jusqu'au milieu universitaire. J'ai dénombré pas moins de soixante-dix institutions de recherche et cent quatre-vingt-cinq chercheurs qui travaillent au développement de méthodes de contrôle du comportement. Ce n'est pas tout : à travers une organisation-paravent appelée l'Institut d'études de l'écologie humaine, la CIA finance en secret une cinquantaine d'universités dans vingt et un pays.

Tu me vois venir ?

En m'infiltrant dans l'ordinateur de son laboratoire, j'ai obtenu la confirmation qu'Ewen Cameron, le psychiatre en chef du Allan Memorial, reçoit des fonds de cette organisation fantoche des services secrets américains. J'ai aussi en ma possession la preuve qu'il effectue des traitements de déprogrammation du cerveau des patients qui fréquentent sa clinique. Cameron les prive de sommeil pendant de longues périodes, qui peuvent aller jusqu'à plusieurs jours, leur fait consommer diverses drogues, et les oblige même à écouter des messages enregistrés pendant des semaines alors qu'ils sont attachés à des civières de contention. Ses expériences de déstructuration s'appuient sur l'hypothèse qu'en effaçant la mémoire d'un individu, on peut le reprogrammer à neuf, et le libérer de tout trait psychotique ou criminel.

J'ai essayé de remonter la filière pour comprendre comment autant de scientifiques réputés ont pu s'associer à ce qu'on appelle désormais du *brainwashing*. Remarque que ce type d'endoctrinement coercitif pour rééduquer les gens en réformant leur pensée ne date pas d'hier : pense aux exorcismes de personnes possédées par des esprits démoniaques, aux ensorcellements par la magie, ou encore au magnétisme ou à l'hypnose. Même la fascination de ta mère pour le mauvais œil s'en approche. Mais l'idée qui donne le plus froid dans le dos concerne l'étape préalable à la reprogrammation, qui implique une véritable destruction de la psyché des individus en vue de créer une logique close, de donner aux sujets l'impression qu'ils sont malades, que quelque chose ne tourne pas rond. Les traitements de Cameron soumettent ses patients à des chocs psychiatriques extrêmes. Déjà sous l'effet de barbituriques et de LSD, ils subissent des doses massives d'électrochocs.

Ça va, tu tiens le coup ? Fais-moi plaisir, va boire un verre d'eau.

OK.

J'aurais aimé t'annoncer ce qui suit de vive voix, mais je craignais que tu ne redeviennes agressif et reprennes tes habitudes d'avant ta thérapie.

Ce que je vais te révéler va te faire mal : ton oncle Nab était sur le point de dénoncer publiquement les pratiques de Cameron. Je ne dispose d'aucune preuve que le psychiatre a causé sa mort, mais tu admettras qu'il s'agit d'une drôle de coïncidence. Je n'arrive pas à mettre le doigt sur une information qui pourrait l'incriminer. Devrions-nous en parler à Édouard ?

Sur une note peut-être plus légère, je présume que tu as repris tes soirées de drague avec l'Italien : une aguicheuse traîne de plus en plus souvent dans les parages de ton bureau. Au début, je la trouvais pathétique, mais, dernièrement, elle est devenue plus menaçante, de sorte que je poursuis maintenant nos recherches depuis la maison. Passe me voir quand tu t'en sentiras capable.

À toi,

ta Huguenote

36 CHAMBERS

QU'EST-CE qui est pire : ne pas se réveiller d'un cauchemar ou rêver qu'on ne dort pas ?

Je fixe le ventilateur au plafond, peut-être qu'en interprétant son mouvement circulaire, je pourrais arriver à une réponse. Car qu'est-ce qui est pire : ne pas se réveiller d'un cauchemar ou rêver qu'on ne dort pas ?

Je l'ignore.

Dans la lettre qu'elle a glissée sous ma porte il y a quelques jours, Candice n'en dit rien. Mais je la relis quand même compulsivement, cette lettre, je prononce à haute voix chacun des mots qui la composent. Je les porte dans ma tête. Ce matin, trop épuisé pour me rendre aux toilettes, j'en suis venu à me dire, alors que j'urinais dans la plante à côté de mon lit, que c'est peut-être moi, après tout, qui l'ai écrite. Je l'aurais écrite et me la serais envoyée ?

On tourne en rond.

Il faut que je m'en débarrasse, cette lettre est dangereuse. Je plie et replie les feuilles en plusieurs triangles jusqu'à ce qu'elles prennent l'apparence d'une corneille. Je la dépose sur ma table de chevet. Voilà une affaire de réglée. Chacun ses gris-gris.

Ce petit travail d'origami m'a ravigoté. Porté par une énergie nouvelle, peut-être celle du désespoir, j'enfile mon pyjama. Je me rappelle que, sur la table de la cuisine, m'attendent les documents qu'a laissés Candice sur le pas de ma porte il y a deux jours. Ils racontent dans le détail le parcours d'Ewen Cameron, l'homme que j'entends détruire.

En sortant de ma chambre, j'ai un doute : si les documents provoquent chez moi des malaises, vais-je savoir comment en disposer ? Faire de l'origami à partir de mille pages tenues ensemble par une reliure à boudin, ça donne quoi ? Un troupeau de licornes ?

*

JE RÉSUME. En 1938, le docteur Ewen Cameron quitte son Écosse natale, s'installe à Albany, publie beaucoup.

Lorsque McGill l'embauche en septembre 1943, ce n'est pas dans le but de lui confier l'unique mandat de diriger le Département de psychiatrie du Royal Victoria : il organisera aussi la transformation de Ravenscrag en hôpital psychiatrique progressiste et ultra moderne, que l'on baptise l'Institut Allan Memorial.

La réputation de probité de Cameron est telle qu'on l'invite à expertiser la santé mentale du nazi Rudolf Hess au procès de Nuremberg. Cette expérience joue un rôle déterminant dans sa quête de moyens pour guérir la part malade de la psyché humaine, cette part qui a mené l'homme, au cours de la Seconde Guerre mondiale, à poser les gestes que l'on sait.

Lorsqu'elle met en œuvre, en 1953, le Projet Bologne, la CIA recherche des universitaires pour mener les travaux. Elle repère Cameron très tôt puis, par le biais d'une société paravent, s'organise pour que ses expériences de déprogrammation soient subventionnées en secret, pendant des années, à même les coffres de l'agence.

Est-ce l'échec à guérir la psyché humaine de ses tourments qui, à la longue, frustre Cameron ? Allez savoir. De toute manière, ça ne change rien aux faits : le psychiatre augmente l'intensité des traitements administrés à ses patients, davantage de chocs électriques, davantage de drogues, davantage de messages de déprogrammation puis, en 1964, il prend sa retraite, s'installe paisiblement dans la région de New York, où il meurt trois ans plus tard en faisant de la randonnée pédestre.

*

PAR SOUCI d'honnêteté intellectuelle, je devrais nuancer mes propos sur Cameron, souligner le fait qu'il a réussi à transformer Montréal en pôle mondial de l'avant-garde psychiatrique. Car, pendant que cinq mille malades mentaux, dont Nelligan, croupissent à Saint-Jean-de-Dieu, le psychiatre est le premier à proposer de soigner les patients en clinique externe, offrant une solution de rechange à l'institutionnalisation et la stigmatisation sociale.

Mais l'honnêteté intellectuelle est le cadet de mes soucis.

Ce qui me tient à cœur, c'est d'avoir la peau de mon ennemi. Et, comme disaient Socrate et Sun Tzu, connais ton ennemi, connais-toi toi-même, et tu seras victorieux.

*

ENTRE-TEMPS, ma vie a retrouvé son cours normal, c'est-à-dire que je mange des céréales devant la télévision. Ce soir, je regarde une émission d'affaires publiques en reprise. L'introduction de l'animatrice me saisit :

— Notre invité d'aujourd'hui est psychiatre à l'Institut Allan Memorial et compte nous parler d'une affaire qui remonte aux années cinquante et qui s'est dénouée hier à Washington. En effet, les parties en sont parvenues à un règlement et la CIA a accepté de verser un dédommagement à des Canadiens qui ont servi de cobayes à un médecin montréalais pour le compte de l'agence. Mes chers amis, je vous demande d'accueillir chaleureusement le docteur Nab Safi.

L'animatrice laisse les gens applaudir puis attaque sans attendre le cœur du sujet :

— Docteur Safi, en quoi consistaient les traitements que le docteur Cameron faisait subir à ses patients ?

— Il administrait des séries d'électrochocs aux gens venus le consulter en clinique sans rendez-vous, souvent pour de légers problèmes d'anxiété. Cameron croyait ainsi les guérir en reprogrammant leur cerveau.

— Cette thérapie était-elle jugée acceptable en 1962 ?

— Il faut se rappeler que les médicaments d'aujourd'hui n'existaient pas. On se contentait de douches froides, de bains chauds, d'électrochocs.

— On parle bien, n'est-ce pas, d'électrochocs quarante fois plus puissants que les doses normales ?

— Oui. Mais la mauvaise réputation de ce traitement provient surtout du fait qu'il était donné sans anesthésie.

— Personne n'a protesté ?

— Le docteur Cameron jouissait d'une excellente réputation. Ce n'était pas un charlatan, il dirigeait un centre hospitalier réputé. Il faut voir le tout avec les yeux de l'époque. Cela dit, les expériences ont eu beaucoup d'effet sur la mémoire et le fonctionnement mental des patients. Cameron les déprogrammait avec efficacité, mais l'étape de la reprogrammation échouait.

— Je comprends. Et, pour les gens à la maison, pourriez-vous nous donner des détails sur ce que l'on propose aux patients aujourd'hui ? Vous nous avez déjà rendu visite à l'émission pour nous parler de votre lampe à diodes électroluminescentes, mais existe-t-il des moyens plus radicaux pour traiter les problèmes de santé mentale ?

— Vingt pour cent des patients sont insensibles à la médication et à la lampe que nous avons développée. Pour les traiter, nous intervenons dans les zones profondes du cerveau, celles qui génèrent la tristesse, les idées négatives, la folie. Une technique de pointe consiste à implanter une électrode très fine dans le cerveau, par les pores du cuir chevelu.

— Docteur Safi, c'est merveilleux.

*

JE PIANOTE comme un forcené sur mon Jerrold, on n'entend que ça dans toute la maison, je fais défiler les canaux dans le désordre, je repousse les limites de la technique, le 10 est au 7, le 2 est au 4, je m'assure que les morts ne prennent pas le contrôle de l'écran.

Je tombe sur *Sauver les meubles,* sur Canal Vie, un magazine de décoration que Candice et moi apprécions à l'époque de nos rapports domestiques.

Aujourd'hui, on parle de la rénovation d'une salle de bain, on y analyse la stratégie d'aménagement qui a permis de déplacer la douche au nord du bain, et d'aligner le bidet, la vanité et la cuvette des toilettes suivant les principes du bon goût. Après plusieurs échanges essentiellement phatiques, l'animatrice demande au designer architectural invité de préciser le modus operandi l'ayant guidé lors de la conception de ce lieu d'aisances si hardi.

Voici sa réponse :

— Je travaille dans le spécifique et le général en même temps. Ici, j'ai tenté de préserver le caractère et l'esprit de 1962 en me projetant en 2012. Ou l'inverse, je ne sais plus.

Quel idiot.

*

LA TÉLÉVISION est allumée depuis des jours, je la vois sans la regarder, incapable de juguler le flux de mes pensées.

Je ne la fermerai pas, j'ai besoin d'elle. Il y a longtemps que j'ai l'impression qu'elle est tout ce qu'il me reste.

Quand j'étais jeune et malade, prisonnier du cube blanc, c'était littéralement ma seule fenêtre sur le monde. La seule chose que je pouvais faire, c'était d'allumer la télé et de sortir dans les choses. Comme

Emma Bovary, c'est devant la télé que j'ai vécu mes plus belles expériences.

La série *Scoop* m'a impressionné au point où, en terminant le dernier épisode, j'ai décidé de devenir journaliste. À l'instar du personnage de Roy Dupuis, j'étais amoureux de Stéphanie Gendron, alias Macha Grenon, sans savoir, à l'époque, que l'actrice tiendrait un rôle important dans *Le pavillon de l'oubli*, série inspirée du roman à succès *Les victimes du docteur Cameron.*

*

VERS le milieu des années quatre-vingt-dix, tout juste après l'explosion de la bombe atomique à Hiroshima, au lendemain d'un épisode particulièrement enlevant de *Scoop*, où les protagonistes déjouaient un complot scabreux, j'ai confié à monsieur Cho, mon professeur de français, mon intention d'étudier le journalisme et d'épouser Macha Grenon. Il m'a suggéré d'écrire et, ce faisant, m'a donné le goût de la littérature.

À sa demande, j'ai pondu une courte dystopie mettant en scène Allan, un narrateur non fiable. Il feignait de tourner un film dépeignant une Amérique décrépie, aux mains d'un consortium de médecins clandestins qui guérissait les gens en leur donnant médicaments à perfuser et capsules à ingérer.

Mon protagoniste était un Blade Runner, c'est-à-dire

un receleur qui fournissait au consortium la drogue que les grossistes lui vendaient à bas prix.

Assez vite dans mon histoire, Allan attrapait un virus qui trouait le temps, si bien que la chronologie vacillait : un pied dans le passé, un pied dans l'avenir, et Allan perdu au milieu.

Plus l'intrigue se développait, plus le lecteur, s'il faisait bien son travail, comprenait la nature véritable d'Allan : un robot doté du langage et du libre arbitre.

Le caractère artificiel de mon personnage l'aidait à survivre dans un Manhattan en proie aux émeutes, où les drogues, cinquante fois plus puissantes que le midazolam que je commençais à consommer à l'époque, ne pardonnaient pas.

*

MONSIEUR CHO a apprécié mon texte sans se montrer gêné de mon plagiat du *Blade Runner* de William Burroughs, heureux, même, de m'apprendre que l'écrivain américain avait lui-même plagié le *Blade Runner* de Alan Nourse. Je me demande si monsieur Cho était au courant qu'au moment où Burroughs publiait son livre, un type planchait sur l'adaptation cinématographique de la nouvelle de Philip K. Dick, « Do Androids Dream of Electric Sheep? »

Le scénariste avait un problème de titre : ni *Mechanismo*, ni *Android*, ni *Dangerous Days* ne lui convenaient.

Pour son adaptation du texte de Dick au cinéma, il lui fallait quelque chose de plus puissant. On sait qu'il est dur de baptiser une œuvre, des personnages, des enfants, on ne va pas revenir là-dessus.

Même si les histoires n'ont rien à voir, le scénariste a décidé d'emprunter le titre de Burroughs et de Nourse, si bien que la grande dystopie de Ridley Scott est devenue la troisième fiction, en une décennie, à porter le titre de *Blade Runner*.

J'aimerais pouvoir discuter de tout ça avec mon ancien professeur de littérature, lui dire aussi que j'ai vite abandonné l'idée de devenir journaliste, sauf que monsieur Cho s'est pendu dans le gymnase de mon collège, quelques semaines après la graduation de notre cohorte. J'aimerais savoir si les fantômes qui l'ont hanté, avant qu'il ne pose son geste, avaient un quelconque lien avec la littérature.

J'aimerais être un personnage de roman, voyager dans le temps, trouver Cho au pire de sa détresse, lui donner quelques-unes de mes capsules.

Mais c'est impossible et vous savez pourquoi : des capsules, il ne m'en reste plus.

*

DANS la version de Ridley Scott, les Blade Runners ne sont plus du côté des petits caïds, ils maintiennent l'ordre établi, sont pour le pouvoir : ils chassent les réplicants, ces robots humanoïdes que seuls des tests oculaires complexes peuvent identifier et distinguer des humains.

On attend du Blade Runner qu'il débarrasse la cité des réplicants. Il doit remplir sa mission coûte que coûte, parfois même en logeant une balle dans la tête des robots. Peu importe la manière dont il y parvient, lorsqu'un Blade Runner élimine un réplicant, on dit qu'il l'envoie à « la retraite ».

*

AU COMMODORE, avec Édouard, j'ai vu le film de Scott au moins à cinq reprises. Chaque fois, mon cousin s'étonnait de me voir sur le bout de mon siège, captivé au point où j'en oubliais mes angoisses à propos des images disloquées. Ce Los Angeles de 2019, construit au début des années quatre-vingt dans les studios d'Hollywood, ce Los Angeles sombre, intense, asiatique, surpeuplé, m'avalait. Car *Blade Runner* n'est pas un film de science-fiction comme les autres, ce n'est pas une histoire de détectives pourchassant des androïdes, mais une fable sur l'inquiétude existentielle, sur l'arbitraire définition de la réalité, sur la question de la création et du contrôle.

Pas surprenant qu'on attribue au réalisateur la phrase suivante : « Je ne pense jamais de manière linéaire, je mets tout ce qui m'importe dans un sac, je secoue et j'observe ce que ça donne. »

*

APRÈS avoir visionné la première version du film, les producteurs de *Blade Runner*, sous le choc, confient à Scott : « Ridley, ton film est superbe, mais on n'y comprend rien. »

Est-ce que c'est grave de ne rien comprendre, si c'est beau ?

Réponse des producteurs : oui, c'est grave.

Et l'émotion ressentie, ça peut être aussi important que de comprendre l'intrigue, non ?

Non.

Le réalisateur, qui, au contraire de l'écrivain, a rarement une liberté totale, accepte qu'on impose à son film une voix hors champ inepte, qui donne à Harrison Ford des allures de guide touristique : bonsoir, je suis Deckard, je ne rêve pas à des licornes, pourquoi donc le chef des réplicants vient-il de m'épargner alors qu'il me tenait en joue ?

En plus de cette narration didactique, les producteurs insistent pour que Scott conclue son film par une fin moins ambiguë, qui dénature complètement le projet. Pour filmer cette scène finale, où Deckard et l'inquiétante réplicante s'échappent de la ville, l'équipe ne parvient pas, à cause du brouillard, à tourner les plans larges de nature bucolique qu'on veut opposer, dans un manichéisme élémentaire, au Los Angeles décadent et sinistre du réalisateur.

Scott propose donc d'emprunter les prises de *The Shining* que Stanley Kubrick n'a pas utilisées dans son montage de la scène d'ouverture. Kubrick accepte, conscient que l'art, quel qu'il soit, est avant tout affaire de collage.

*

REVENONS à nos moutons, c'est-à-dire à mes cauchemars.

Presque toutes les nuits, depuis mon entrée à l'orphelinat, je rêve que je tue un nain et qu'ensuite, réalisant que je dois au plus vite disposer du corps, je le découpe en morceaux, que je jette dans des sacs de poubelles que je distribue aux quatre coins de la ville. L'horreur, pour moi, ne réside pas dans ce que mon imagination met en scène, mais dans le statut des événements que relate le cauchemar : ai-je oui ou non commis les gestes que je m'y vois commettre ? Pendant cinq minutes, chaque matin, cette question m'obsède, jusqu'à ce que je réalise que, si j'ai vraiment commis un tel crime, j'ai forcément laissé des traces, et que, si j'ai laissé des traces, la police va forcément m'arrêter. Ce raisonnement m'aide à traverser la journée sans trop repenser au nain dépecé, jusqu'au moment où je me recouche, où ça recommence.

*

DÈS L'ÂGE de treize ans, j'ai occupé de petits emplois, non plus pour payer les dettes de jeu de ma mère, mais, comme tous les gamins, pour me faire un peu d'argent de poche.

Après avoir vendu de la crème glacée à bicyclette pendant quelques semaines, vous vous souvenez, ces gros cubes blancs posés sur des tricycles, j'ai été embauché comme commis dans un club vidéo du boulevard Gouin, situé à l'intérieur des murs de l'ancien cinéma Commodore, dont la popularité grandissante du magnétoscope avait sonné le glas.

Je garde un bon souvenir de cet emploi, du moins jusqu'à ce que le propriétaire m'intime d'aller consulter un psychiatre à l'Institut Albert-Prévost, qui se trouvait juste en face.

Je lui en ai beaucoup voulu sur le coup, mais, avec le recul, je le comprends : je lui avais avoué avoir filmé le meurtre d'un nain, puis je l'ai menacé de projeter le film sur les nombreux téléviseurs du club vidéo s'il n'augmentait pas mon salaire. Il n'a pas aimé la manière dont je lui parlais, mon insolence, et il m'a menacé à son tour d'appeler la police si je ne me faisais pas aider.

Plutôt que de voir les policiers me sortir une seconde fois du Commodore, j'ai décidé de me rendre de mon propre chef à Ravenscrag, où j'ai confié à une collègue de Nab que j'avais l'impression d'avoir tué et dépecé un nain, tout en ayant de la difficulté à vérifier si cet événement appartenait au rêve ou à la réalité.

Plus de quinze ans plus tard, j'attends toujours une réponse de la psychiatre.

Plus de quinze ans plus tard, je me réveille toujours avant la fin.

*

J'AI de la difficulté à quitter mon lit. Ça fait plus de deux semaines que je vis reclus, mais ça pourrait faire des mois. Candice n'a plus donné signe de vie depuis qu'elle a laissé la caisse de documents sur mon balcon, deux jours après sa lettre. J'ai beau les parcourir, ou essayer de me changer les idées en revisitant des souvenirs agréables, les pensées se bousculent dans ma tête, je n'arrive pas à reprendre le dessus, à contrôler mon esprit, malgré de longues heures consacrées à des exercices de respiration.

Le téléphone sonne plusieurs fois par jour, mais je ne réponds pas.

La plupart du temps, je reste dans le noir, avec pour seule lumière les rayons cathodiques projetés par la télévision, allumée jour et nuit. On pourrait croire que la clarté ainsi produite baigne mon appartement de tons de gris et de blanc, mais je suis un des rares propriétaires d'une télévision couleur, sur ma rue. C'est le premier objet que je me suis acheté lorsque j'ai été embauché.

Comme elle fonctionne en permanence, je ne porte plus vraiment attention à ce qui se passe à l'écran, les récits, les paroles, j'apprécie plutôt indistinctement le flux des rayons, ou la forme parfaitement cubique de l'appareil, la teinte de son revêtement de bois, le petit grillage métallique à droite de l'écran et les trois gros boutons à cadran, avec lesquels je changeais de chaîne avant de recevoir mon Jerrold des États-Unis.

De temps à autre, je prends des nouvelles du monde extérieur en jetant un coup d'œil dehors par le trou dans mon store, mais j'abandonne toujours assez vite, rassuré par la constance de la silhouette qui me surveille, jour après jour, sans défaillance : Salomé attend son moment, tapie derrière les vitres noires de sa berline.

*

JE NE PERDS PAS seulement la tête. Depuis quelques jours, j'ai des problèmes de vision, des migraines fulgurantes, et des auras lumineuses s'interposent entre le réel et moi. J'ai vérifié, en changeant de pièce : ce n'est pas la télévision.

Au plus mal, je me suis demandé ce que ferait ma mère. En fouillant un long moment parmi ses affaires entreposées dans la cave de terre battue sous mon appartement, j'ai retrouvé son exemplaire de *Mille secrets, mille dangers*. Autodiagnostic : des scotomes dus au stress et à la paranoïa.

Vous ne voyez pas ce qu'est un scotome ? C'est une altération dans une zone limitée du champ visuel, causée par une insensibilité temporaire d'une partie de la rétine. Ça crée toute sorte de formes, des spirales, de drôles de zigzags.

Tenir dans mes mains le seul livre de ma mère m'a ramené à notre premier traumatisme. Quelque chose s'était alors brisé entre nous deux. Je devais avoir quatre ans, elle était sortie faire une course en me laissant avec Sita, ma nourrice haïtienne. Lorsqu'elle est revenue, je savais qu'un homme malfaisant avait pris les traits de ma mère, pour me faire du mal. À partir de ce jour-là, je me suis méfié d'elle. On l'avait remplacée.

Apprenant pour Nab et Cameron, j'ai pris l'habitude de me scruter dans le miroir, pour essayer de voir si on ne m'avait pas fait le même coup. Qu'est-ce qui me dit qu'on ne m'avait pas remplacé comme ma mère ? Qu'est-ce qui m'assure que, pendant mes courtes siestes, on n'avait pas substitué quelqu'un qui me ressemble à ma propre personne, au point où il me serait impossible de déceler la tromperie, même en m'arrachant le visage ?

*

JE CONSACRE désormais une grande partie de mes journées à me répéter mon nom, mon numéro de téléphone, mon adresse. Je m'appelle Alain Farah, on me rejoint au 514 289-6981, je vis au 7310, rue Christophe Colomb, appartement 300, Montréal, Québec. Je me réchauffe en vue d'un exercice beaucoup plus important : vérifier que je suis moi-même en répondant à des questions intimes sur mon enfance.

Dans quel quartier j'ai grandi ?

Cartierville, près du parc Belmont.

Quel rôle je jouais dans la mise en scène de la vie du Christ à l'orphelinat ?

Jean le Baptiste.

Pourquoi je pissais au lit, la nuit ?

J'avais peur qu'un jour Édouard meure.

À quel moment précis j'ai su que ma vie serait compliquée ?

La première fois que j'ai trouvé du sang dans mes selles.

Quelle était la couleur de l'araignée qui a tissé sa toile dans un coin de ma chambre, cette araignée qui a pondu un œuf au centre de sa toile ?

Corps orange, pattes vertes.

Qu'est-ce qui est arrivé à cette araignée ?

Elle a été dévorée par les milliers de larves sorties de l'œuf, une fois éclos.

Je m'appelle Alain Farah, j'ai mangé ma mère, tout est sous contrôle.

*

C'EST ÉDOUARD qui m'a tiré de ma léthargie. Il est entré chez moi en forçant la porte de l'appartement.

La neige avait fondu, mais je ne savais plus quel mois on était.

Édouard avait fini par se faire du souci, ne voyant que la lumière de la télévision pendant des jours et des jours. Matin et soir, il m'appelait, je ne répondais pas. Ce manège a bien dû durer trois semaines, pendant lesquelles il s'était contenté de m'observer, constatant que je faisais l'aller-retour, à pas lents, entre la chambre et le salon, le lit et le divan, mes cauchemars et les images découpées. Mais, après un mois, il a commencé à avoir peur, ça ne me ressemblait plus, il a défoncé. Il m'a trouvé en pyjama dans mon lit, en train de manger des céréales. La chambre était jonchée de boîtes vides et de cannettes écrasées. Je n'ai jamais été fort sur le ménage, ce qui avait le don de rendre Candice folle. J'ai refermé le livre de Carrère.

Après deux heures de discussion, j'ai accepté de sortir. On a fait quelques pas à la lumière du jour, ça nous a fait du bien à tous les deux. Chaque jour, Édouard est venu me voir ainsi, pour qu'on marche dehors. On appelait ça « notre petite sortie ».

On a répété l'exercice pendant cinq ou six jours. Entre-temps, le printemps est arrivé.

Sans m'en rendre compte, tout à l'heure, j'ai retrouvé une vieille habitude et, arrivé dans notre garage, je me suis fumé une cigarette électronique.

J'ai senti que le moment était venu et j'ai trouvé la force de raconter à mon cousin l'implication de

Cameron dans la mort de son père. Je ne reconnaissais plus ma voix. Édouard m'a écouté et, rapidement, le choc à fait place à de la sérénité, mon cousin arguant, face à ma colère, que son père était mort de toute façon, que notre tour viendrait, et qu'on devrait plutôt profiter du temps qu'il nous reste pour nous amuser. On ne le ramènerait pas, de toute façon.

Bien sûr, je n'étais pas d'accord. On allait se venger, qu'est-ce qu'il croyait.

*

IL Y A une semaine que je tente de convaincre Édouard de venger son père. L'idée commence à faire son chemin. Mon dernier argument en date : c'est notre chance de passer enfin de l'autre côté de l'écran, de pouvoir à notre tour jouer dans le meilleur film qui soit, celui de notre vie.

Ce matin, au cours de notre réunion de planification, Édouard a soulevé un obstacle de taille :

— Tu veux venger mon père, OK, mais tu ne vas pas me faire croire que tu sais comment on tue un homme.

— Je pensais regarder dans un livre.

— Oublie les livres. Allons chez l'Italien, ça va être l'occasion pour moi de me faire payer, ça fait dix fois que je lui envoie des avis de paiement. D'ailleurs, j'ai entendu dire qu'il retournait bientôt en Italie.

— Ouais, Umberto doit bien savoir où trouver une arme.

— En plus, c'est un scientifique, non ?

— Bah, tu sais, nous, en lettres, on l'est tous un peu.

— L'autre jour, à la télé, j'ai vu que le pistolet inoculateur est le moyen le plus efficace d'éliminer discrètement quelqu'un. Une petite fléchette au contenu infectieux contamine le corps de la victime. Tu imagines, envoyer un virus mortel dans la cuisse gauche de Cameron en faisant passer sa mort, auprès de ses patrons de la CIA, pour un accident ?

— Tu as vingt-cinq sous ?

*

CONTENU infectieux, contenu infectieux, plus facile à dire qu'à faire, comme si on avait le temps. Il nous faudrait un truc qui ne pardonne pas, foudroyant, des spores d'anthrax, des couvertures infestées de petite vérole, de l'eau de Cologne au gaz moutarde. Or tout ce que je parviendrais à dénicher à court terme, c'est quelques coliformes fécaux provenant de la garderie de ma fille.

Remarquez : si Umberto arrive à mettre la main sur un pistolet inoculateur, Édouard pourrait fixer une petite fiole de midazolam à la pointe de la fléchette, pour que Cameron goûte à sa propre médecine.

On m'administre cette molécule depuis mon adolescence, mais, depuis mon embauche à McGill, les dosages n'ont cessé d'augmenter.

Sans midazolam, ma vie serait plus prévisible.

Prenez ma dernière perfusion : l'infirmière chargée de la procédure m'a fait la conversation pendant presque toute la durée du traitement, je crois qu'elle me trouvait intéressant avec mes livres et mes maladies. Je me sentais adéquat durant l'échange, j'arrivais même à raconter des blagues, mais en même temps j'angoissais terriblement, j'avais l'impression que les paroles que nous échangions ne s'inscrivaient pas dans mon cerveau, qu'elles passaient à travers moi pour aller s'enregistrer ailleurs, je ne sais où, dans le miroir ou dans le cerveau de mon remplaçant. L'infirmière, qui a perçu que quelque chose n'allait pas, m'a rassuré. À la dose qui m'était prescrite, il était tout à fait normal que je sois victime d'amnésie antérograde, un trouble de la mémoire qui rend impossible la création de nouveaux souvenirs.

Mais la mémoire n'avait rien à voir là-dedans. Je n'en étais pas à ma première perfusion, j'en connaissais les effets secondaires par cœur. Alors j'ai insisté. Il ne s'agissait pas d'un trouble mémoriel. C'est mon cerveau qui ne fonctionne pas normalement : logique en buisson, multiplication des identités, temporalité origamique, angoisse intestinale, logorrhée disjonctive. J'ai toujours eu une petite santé, mais là, ça commençait à faire beaucoup. J'ai demandé un lit pour la nuit.

Les médecins m'ont gardé en observation. Mais on dort mal, à l'hôpital, si bien qu'entre les signes vitaux pris aux demi-heures et les cauchemars provoqués par les sédatifs, je n'ai presque pas fermé l'œil.

Aux aurores, arrivant enfin à m'assoupir, j'ai fait un drôle de rêve, où les mots « fortifications de Vauban » résonnaient indéfiniment dans ma tête.

Pourquoi « fortifications de Vauban » ? Aucune idée.

Ayant obtenu mon congé, j'ai recroisé l'infirmière en entrant dans l'ascenseur :

— Eh bien, vous, monsieur Farah, on peut dire que vous avez la langue bien pendue ! Sous midazolam, d'habitude, les gens se taisent ou alors nous confient des secrets. Vous, c'était un véritable cours magistral, Madame Bovary par-ci, les avant-gardes par-là, on prenait presque des notes.

— Ah bon. Vous ai-je dit par ailleurs des choses embarrassantes ? Je sais que nous avons longuement parlé, mais je ne me souviens de rien.

— Je n'ai jamais entendu des propos aussi structurés d'un patient ayant une aussi forte dose dans le sang. Vous avez passé l'avant-midi à me dire que vous étiez un « fou fonctionnel », je suis bien obligée de vous croire.

— J'espère que je ne suis pas resté bloqué trop longtemps sur les surréalistes.

— En tout cas, c'était assez divertissant, même si je ne suivais pas toujours. À la fin, vous répétiez en boucle une expression bizarre, « fortifications de Vauban ». Vous disiez que c'était le point aveugle, le Bologne de Matamore. Le plus curieux, c'est que vous sembliez conscient de votre égarement, et vous finissiez par reprendre le fil de votre démonstration, jusqu'à ce que, quelques phrases plus loin, le même manège se répète.

*

UMBERTO nous a donné rendez-vous dans une pâtisserie de Notre-Dame-de-Grâce, au coin d'Upper-Lachine et de Melrose, surmontée d'une longue enseigne de plastique jaune où sont représentés, à la droite d'un lettrage rouge vif, un saucisson, une meule de parmesan, un jambonneau et un drapeau de l'Italie aux couleurs inversées. On fabrique ici une pizza aux tomates délectable.

Édouard et moi faisons sonner les petites clochettes de la porte d'entrée. L'Italien, accoudé au comptoir, sirote un espresso en discutant avec la fille du propriétaire. Est-ce son désir coupable pour cette adolescente de quatorze ans qui l'amène à se crisper en nous voyant ? En tous les cas, Umberto est sur la défensive :

— Bello, come vai ? Oh ! Tu débarques avec ton cousin... J'ai droit à la visite des Nozze, vous allez me parler d'argent.

— Ne recommencez pas, vous deux, avec vos histoires d'argent. Je suis prêt à le payer moi-même, mon cousin, si tu me donnes un coup de main.

— Pourquoi tu paierais sa dette ? Il en fait plein, d'argent, avec sa chaise d'études, lui, en Italie. En plus ça fait des mois que je lui envoie des avis de paiement.

— Laisse-moi finir, Édouard, tu permets ? Umberto, si tu arrives à me donner un piston pour un truc pas très catholique, je vais la payer, ta foutue réparation.

— Qu'est-ce que je disais : les Nozze débarquent, c'est l'agence de collection.

Édouard, d'ordinaire assez calme, n'a pas trop envie de rire.

— Pourquoi tu nous appelles Nozze ?

— Votre patronyme, c'est Farah, non ?

— Je suis un Safi, moi, tu le saurais si tu avais ouvert les putains de factures.

— Je joue avec les mots, calme-toi, Dodi. Je vais t'expliquer : *farah*, en arabe, c'est *mariage*, et *mariage*, en italien, c'est *nozze*...

— Quand je pense que vous êtes payés des fortunes pour baratiner comme ça, alors que moi je m'esquinte pour quatre-vingts dollars par semaine au garage.

Umberto n'apprécie pas la remarque de mon cousin.

— Et quoi encore, tu vas me reprocher de ne pas avoir mené la lutte des classes ?

Je commande un café à la petite serveuse avant d'interrompre l'Italien en le regardant droit dans les yeux :

— J'ai besoin d'une arme.

— Bello, qu'est-ce qui se passe, tu as des ennuis ?

Je prends le temps de payer mon café en silence. Umberto comprend que je serai avare de détails.

— OK, OK, je ne vous demande pas pourquoi, de toute façon, je m'envole pour Roma ce soir, vous faites ce que vous voulez, laissez-moi seulement passer un coup de fil.

*

QUARANTE-CINQ minutes plus tard, Umberto finit par ressortir de l'arrière-boutique. À sa démarche, on devine qu'il est fier de ce qu'il va nous annoncer.

Je termine mon cannoli en une bouchée.

— J'ai parlé à un de mes cousins, en lui expliquant que c'était assez urgent comme truc, il a élaboré un plan, ça me semble assez béton. Le mec que tu veux buter, appelons-le Le Turc, tu vas l'inviter à dîner dans un bon restaurant, tu vas discuter avec lui tranquillement.

— Je lui parle de quoi ?

— De n'importe quoi, on s'en fout, demande-lui des nouvelles de sa femme, parle-lui du menu, suggère-lui le veau, ça fait biblique, ça fait sacrificiel. Là, et mon cousin me dit que c'est important, vous vous mettez à parler en italien, mais *sans* sous-titres.

Édouard l'interrompt :

— Qu'est-ce que tu veux dire, sans sous-titres ?

Je me retourne vers mon cousin :

— Il ne veut pas que les spectateurs comprennent. Ça ajoute de la tension à la scène, un truc de narratologue. Ce ne sont pas des choses qu'on peut t'expliquer en deux minutes. Laisse-le terminer, tu poseras des questions après.

Umberto acquiesce :

— Exactamente... Ciao les sous-titres, et après tu éloignes la caméra de la table, ça donne de l'amplitude à la scène, on voit le décor, les convives, les serveuses et tutti quanti. Vous buvez du vin, tu laisses s'écouler quelques minutes, tu te frottes l'abdomen, tu fais une grimace de douleur. Tout le monde sait pour tes maux de ventre.

— Mais tu me dis tout le temps de ne pas parler de ta maladie, coupe Édouard.

Je fais un signe impatient de la main qui signifie de laisser tomber, que c'est pas le moment.

— Continue, Umberto.

— Le Turc ne s'étonnera pas que tu ailles aux toilettes. S'il se montre suspicieux, il n'a qu'à te fouiller : tu n'as rien sur toi.

— Oui, mais le but de tout ça, ce n'est pas justement de trouver une arme ?

— Pazienza ! Tu te diriges vers la salle de bain en marchant sans hâte. Une fois dans la cabine du fond, tu retires le couvercle du réservoir : le revolver s'y trouve, enveloppé dans un sachet de plastique. Tu le ramasses et tu retournes t'asseoir, tu prends une bonne respiration puis bang ! bang ! tu mets deux balles dans la tête de ton bonhomme.

*

PASSÉ le plaisir de voir Umberto mimer la scène avec tellement d'intensité et d'affect que la fille du propriétaire s'étouffe avec son Chinotto, je dis :

— Je ne sais pas où ton cousin est allé pêcher ça, Umberto, mais le type que je dois descendre ne se laisse pas inviter aisément à dîner. Et j'aurai très peu de temps pour agir...

Édouard m'interrompt et s'adresse directement à Umberto :

— Tu ne crois pas qu'un pistolet inoculateur ferait mieux l'affaire ?

Umberto lève les mains dans les airs.

— Vous voulez une arme, je vous trouve une arme. Qu'est-ce que je peux dire d'autre ?

Je fusille mon cousin du regard.

— Excuse-nous, mets ça sur le compte de la fébrilité. Mais le type qui nous veut du mal, c'est un fusil de précision que ça me prendrait pour l'abattre.

Édouard se racle la gorge de manière insistante. Je l'ignore.

— Euh, Alain ?

— Oui, Édouard.

— C'est parce que je me demandais. Vas-tu être capable d'adopter la position du tireur couché ?

— C'est ça, ta question ?

— Arrêtez votre cirque, coupe Umberto. Je vais vous accompagner chez mon cousin. On verra ce qu'il peut faire.

*

JE ME DOUTAIS bien qu'Umberto ne nous emmenait pas chez un armurier de la Cosa Nostra, mais de là à ressortir de chez son cousin avec un fusil jouet, je me dis qu'on s'est mal compris. Si ça se trouve, ce truc tire de l'eau.

— Mais pour l'amour du ciel, bello, ce n'est pas un jouet ! Pourquoi mon cousin t'aurait fourgué un jouet ?

— Je ne m'y connais pas en armes à feu, mais il y a des limites, Umberto. Ce truc pèse à peine quelques onces, il est en plastique, et ton cousin ne m'a jamais parlé de munitions...

— Je ne veux pas te contredire, intervient Édouard, mais il s'agit sans doute d'une arme non conventionnelle moulée dans des polymères synthétiques révolutionnaires. Son allure de jouet vise à leurrer l'ennemi. Ce genre de fusil est tellement sophistiqué qu'il ne nécessite même plus de projectiles, tout s'active au moment où tu appuies sur la gâchette. La cause et l'effet sont simultanés. C'est de la haute technologie, c'est normal que ça ne pèse rien.

Je ne sais pas pour vous, mais je trouve ça assez convaincant, ce qu'il raconte, Édouard. Après tout, c'est lui le mécanicien. Je décide qu'il a raison, et on se met en route vers McGill. Édouard et moi écoutons Umberto nous parler de ses récentes conquêtes sans trop commenter. Je mentirais si je disais que je ne suis pas légèrement anxieux à l'idée d'affronter Cameron avec une arme dont le fonctionnement m'échappe. Je compte sur Candice, à qui j'ai longuement parlé au téléphone, tout à l'heure, dans l'arrière-boutique de la pâtisserie, pour me prêter main-forte. J'ai besoin d'un plan B, d'une issue de secours, d'une stratégie d'exfiltration. On ne sait jamais comment ça peut tourner, ces histoires-là.

Il me reste un peu de la voix de Candice dans les oreilles, il n'y a pas de meilleur antidote à celles qui hantent mon cerveau. J'ai besoin de la revoir. Si j'avais écouté Candice dès le début, si j'avais pris mon bain comme les autres, peut-être que rien de tout ça ne serait arrivé.

*

NOUS arrivons au bureau.

Nous nous installons tous les quatre autour de la table de conférence, dans une grande salle du Pavillon des Arts. Debout, les deux mains posées à plat sur la table, Candice est aux commandes. Le temps plus clément l'a amenée à changer sa garde-robe, du coup mon cœur se serre alors que je la regarde se mouvoir dans sa blouse de soie légèrement transparente et sa jupe fourreau bleu royal moulée à sa taille. Ce qu'elle a dans les pieds ? Des bottes ? Non, Candice est légère, elle se déplace en ballerines.

Aidée par un schéma qui illumine toute la pièce grâce à un puissant rétroprojecteur, elle expose son plan :

— Il va falloir bénéficier de l'effet de surprise. Alain, tu dis que les entrées de Ravenscrag sont désormais bloquées, c'est bien ça ?

Elle retire les inutiles lunettes de soleil de sur sa tête et les dépose près d'elle, sur la table de conférence.

— Oui. Le veilleur a parlé d'un renforcement du protocole de sécurité. Je crois que c'est à la suite de ton intrusion dans leur réseau informatique qu'ils l'ont mis en place.

— Il ne te reste donc qu'une manière d'accéder à Cameron : tu dois passer par le réservoir McTavish. J'ai fait jouer mes contacts. J'ai obtenu l'autorisation des responsables du réseau : tu vas pouvoir accéder au site par le 815, rue McGregor.

— Génial. On y va ?

Candice n'arrive pas à masquer son sourire complice, une sorte de « tu ne changeras jamais ».

— Pas si vite. Quand tu as quitté mon bureau, la dernière fois, tu as laissé traîner, près de ma table de travail, une dosette.

— Oui, comme je t'ai expliqué au téléphone, elle contenait les capsules que m'avait données Cameron.

— C'est bien ce que je craignais. J'ai fait analyser la dosette au laboratoire de biochimie, il restait des résidus de capsules sur les parois du contenant. Les résultats ne sont pas concluants, mais je soupçonne Cameron de t'avoir donné une préparation magistrale comprenant un dérivé de barbituriques ayant pour effet de provoquer des disjonctions mémorielles chez les patients qui entrent en contact avec de l'eau.

— Mais il y a des semaines que je n'ai pas pris de ces capsules.

— La demi-vie de cette molécule s'étend sur des mois suivant la fin du traitement. Cameron est un des meilleurs psychiatres au monde, à la fine pointe des recherches actuelles dans plusieurs disciplines, de la pharmacologie à la philosophie. Il a lu l'article que le jeune philosophe français Michel Foucault vient de faire paraître dans *Médecine et Hygiène*. Le mécanisme actif élaboré par Cameron respecte à la lettre l'hypothèse de l'auteur.

Probablement occupé à s'inventer des alibis pour justifier ses infidélités montréalaises, Umberto sort de la lune en entendant le nom de son collègue français. Édouard, qui a ramassé la revue sur le bureau de Candice, lit un passage à haute voix de l'article en question :

— « L'eau, à l'asile, ramène à la vérité nue. Violemment lustrale, elle œuvre au baptême et à la confession à la fois. En reconduisant le malade au temps d'avant la chute, elle le contraint à se reconnaître pour ce qu'il est. »

— C'est exactement ce qui m'arrive : je ne peux plus aller sous la pluie sans être inondé de souvenirs.

— Ça veut dire que lorsque tu vas pénétrer dans le réservoir, le très haut débit d'eau à proximité du système de pompage va provoquer une série de réminiscences plus vertigineuses que les précédentes. D'après mes calculs, tu risques peut-être même de vivre des souvenirs qui ne t'appartiennent pas, qui précèdent de peu ta naissance.

— Est-ce que tes calculs disent si ce sont des souvenirs agréables ?

*

SI L'AVENUE McGregor existait encore, les marcheurs passant devant la station de pompage en forme de château médiéval se demanderaient sans doute ce qu'un mécanicien en deuil, un sémiologue flirteur, une chercheuse huguenote et un fabulateur au bout du rouleau peuvent bien fabriquer, assemblés en cercle comme des footballeurs réunis en caucus avant la mise en jeu.

C'est simple, pourtant : Umberto ajuste mes lunettes de plongée ; Candice dénoue ma cravate et me rappelle de me méfier de Cameron jusqu'au dernier moment : c'est quand il te paraîtra le plus à ta merci qu'il sera potentiellement le plus dangereux. Édouard me serre fort dans ses bras, avant de me glisser discrètement à l'oreille : sois fort, cousin. N'oublie pas, l'effet est dans la cause, le projectile dans la gâchette.

— Je n'aime pas ça quand tu me parles comme ça, tu me mélanges. Il va marcher ou pas, ce fusil ?

— Ça dépend juste de toi.

Avant d'ouvrir les deux grandes portes de bois massif situées sous la tour carrée, je dis au revoir à mes acolytes, puis je pénètre à l'intérieur de l'édifice.

Je les imagine reprenant leurs activités, Candice de retour à son bureau, se rongeant les sangs pour moi, mais confiante dans ma réussite ; Édouard, au volant de sa voiture, conduisant l'Italien à l'aéroport ; Umberto, à la sortie des douanes, envoyant la main à sa femme qui l'attendait, maintenant enceinte de six mois.

*

DES MOULURES de chêne grimpent jusqu'au plafond, sillonné de solives taillées dans le même bois. J'avance en direction d'une porte de cuivre munie d'un hublot typique des ascenseurs des années trente, surmontée des armoiries de la Ville de Montréal, qui comportent une fleur de lys, un lion et une feuille d'érable. À gauche comme à droite de la porte cuivrée, j'aperçois à travers des vitres les immenses salles où, m'a expliqué Candice, s'activent des pompes monumentales.

J'entre dans l'ascenseur qui me mène trois étages plus bas, devant un tableau de contrôle gris, digne d'un vaisseau spatial avec ses manettes, ses cadrans et ses boutons multicolores.

J'ouvre les vannes d'interconnexion qui vont me permettre de traverser les quatre citernes de béton construites à l'intérieur d'une cuve énorme, forgée à même le ventre du mont Royal.

Je descends sous les pompes et me trouve désormais plusieurs étages sous le niveau du sol, dans l'une des milliers de chambres de vanne de la ville. Je me fraie un chemin à travers des conduites d'un mètre de diamètre, qui transportent l'eau à un débit tel que je ressens un terrible vrombissement en posant ma main sur leur surface rouillée.

Heureusement, l'obscurité n'est pas totale : les plaques recouvrant les trous d'homme à la surface de l'avenue McGregor laissent percer de fins filets de lumière. Par contre, la perspective d'être si loin sous terre provoque des angoisses qui m'engourdissent le visage. Pour tenter de me calmer, je me concentre sur mes déplacements.

*

AYANT FRANCHI un dernier canal, j'atteins l'enceinte principale de la structure. Devant moi s'élève un réservoir de vingt mètres de hauteur qui contient plusieurs centaines de millions de gallons d'eau.

En 1931, l'endroit où je me tiens était immergé et constituait le fond du réservoir. Au moment du recouvrement du bassin, des citernes de béton ont été érigées à l'intérieur de l'espace occupé par la cuve originale, créant du coup une antichambre, un passage entre la nouvelle et l'ancienne structure du réservoir.

Candice m'a clairement expliqué que, pour passer d'une citerne à l'autre, je dois d'abord faire le tour du réservoir en longeant soit le mur bétonné qui retient captive l'eau du réservoir, soit les parois de roc d'où suinte le trop-plein de la nappe phréatique.

Levant la tête le plus haut possible, j'examine les différentes citernes qui, à la manière de poupées gigognes, s'enchâssent les unes dans les autres jusqu'à contenir la piscine de Ravenscrag.

Je marche tout contre la paroi rocheuse, recouverte tantôt de mousse verte, tantôt de calcaire blanc, tantôt encore d'une couche d'oxyde qui lui donne une teinte cuivrée. Par endroits, des filets d'eau dévalant la paroi viennent former à mes pieds des flaques, puis, alors que le corridor s'élargit et bifurque, je débouche devant un escalier de fer qui donne accès à un passage voûté en briques, fermé par une porte grillagée.

Je grimpe trois marches, puis j'ouvre la grille. La température est plus élevée à l'intérieur du tunnel. Je dénoue encore davantage ma cravate. Je dois me pencher et plier les genoux pour progresser.

L'obscurité est désormais totale. Des croassements parviennent jusqu'à moi : des corneilles ont élu domicile dans la dernière petite partie du passage, celle qui n'est pas immergée. Au moins, je ne suis plus seul.

J'hésite à faire un pas de plus, de peur que ce ne soit mon dernier. Un frisson me traverse le corps, m'arrache à mes pensées. Il n'y a plus rien qui existe, sauf cette embouchure de citerne. Je perçois son existence concrètement, je détaille les altérations avec une précision presque moléculaire, comme si je braquais sur la surface d'acier un zoom surpuissant.

Il faut y aller.

Je fais un signe de croix avant de me jeter dans la première citerne du réservoir.

*

LA VITESSE avec laquelle l'eau me submerge m'estomaque, et ça fait des heures que nous marchons dans la brousse, mes enfants et moi. Ma fille avance d'un bon pas, s'arrête parfois pour capturer un insecte ou arracher des fleurs multicolores ; les yeux hagards de mon garçon, cependant, m'indiquent qu'il est temps de trouver un abri pour nous reposer. Il a l'air mort de fatigue.

Cet arbre aux troncs qui bifurquent fera l'affaire.

L'un à la suite de l'autre, ma fille en tête, nous

grimpons vers la partie centrale de ce feuillu majestueux. Nous nous y installons confortablement.

Je ne dors jamais aussi bien que perché dans un arbre, mais les pleurs de mon garçon me sortent de mon sommeil paradoxal : un puissant barrissement vient déchirer le silence de la nuit. Mon fils a du mal à articuler, tant la peur le pétrifie.

— Tu crois que c'est un monstre qui fait ce bruit, papa ?

— Mais tu sais bien que les monstres vivent sous les lits d'enfant et dans les garde-robes, pas dans la brousse. Rendors-toi, maintenant.

Je lui caresse les cheveux en tendant mon bras jusqu'à sa branche, puis, une fois qu'il s'assoupit, je me retourne vers les prés où un troupeau de brachiosaures nous observe avec curiosité.

Je leur fais toutes sortes de simagrées pour qu'ils ne réveillent pas mes gamins, mais c'est peine perdue : mes enfants, en proie à la panique, chuchotent en tremblant comme des feuilles qu'ils vont se faire dévorer.

— Calmez-vous, nom de Dieu, les brachiosaures sont des herbivores, tout le monde sait ça.

Une fois rassurée, Émilie explique à son petit frère que, malgré leur trente mètres de long et leur cou de quatre étages de haut, les brachiosaures sont une espèce de dinosaures très pacifique, des sortes de vaches géantes, peut-être les plus gros animaux ayant jamais foulé la surface de la terre. J'ajoute :

— Nous sommes privilégiés de vivre un aussi beau

moment en famille, beaucoup de gens paieraient très cher pour voir des bêtes pareilles d'aussi près.

J'arrache un rameau de notre arbre et interpelle ces reptiles du passé :

— Petits petits petits, venez voir papa Alain !

Deux brachiosaures s'approchent de nous à pas lents et lourds et se laissent caresser le bout du museau. Mes enfants sont comme figés et attendris à la fois, les flattent avec des gestes très doux, eux dont la tête est plus petite qu'une seule des narines de ces géants.

Le lendemain, descendus de l'arbre, nous traversons un pré immense. Des dizaines de gallimimus viennent vers nous. Émilie me demande s'ils sont carnivores, ce à quoi je réponds :

— Ne t'inquiète pas, ma princesse, les dinosaures ne mangent pas de viande.

J'ai à peine terminé ma phrase que les poules jurassiques deviennent agitées et changent soudainement de direction. Un prédateur approche ? Au loin en effet apparaît un tyrannosaure, qui fond sur les gallimimus avec une vélocité effarante, en attrape un dans sa gueule et lui arrache la tête dans une gerbe de tendons et de sang. Heureusement, j'aperçois, en même temps que le terrible bipède, le canal d'interconnexion qui me portera vers la deuxième citerne.

*

JE POSSÈDE encore chacun de mes membres, ce qui est déjà en soi un motif de réjouissance, ça vaut bien de s'accorder une petite pause.

Le canal qui unit les citernes fait deux mètres de diamètre, on ne peut pas dire que c'est confortable, mais au moins je peux garder la tête hors de l'eau.

Combien d'individus se sont déjà trouvés dans cette situation, seul au monde, en transit entre deux citernes gigantesques, en route vers le meurtrier de leur oncle, avec comme arme un fusil soit létal, soit inoffensif (je le saurai bien assez tôt, quitte à en faire les frais) ?

Cela dit, si je sors vivant de cette histoire, je vais la raconter à quelques journalistes, ça me vaudra bien quelques manchettes, UN ÉCRIVAIN SURVIT À UNE ATTAQUE DE DINOSAURES ; RENCONTRE DU QUATRIÈME TYPE AU CŒUR DU RÉSERVOIR MCTAVISH ; L'ASSASSIN DE CAMERON SE CONFIE À NOUS, etc.

Je rigole, mais c'est pratique, les journaux, je peux en témoigner. L'an dernier, par exemple, le quotidien *Le Devoir* m'a invité à signer une chronique sportive. Comme c'était une collaboration exceptionnelle, le pupitreur a fait suivre mon papier d'une courte notice biographique où j'ai tenu à mentionner que je menais une enquête sur les liens entre McGill et la CIA. C'était comme une bouteille à la mer. Eh bien, le lendemain, à l'aube, mon éditeur recevait l'appel d'une victime de Cameron désireuse de communiquer avec moi et de me raconter son histoire.

Sur le coup, j'ai cru qu'il s'agissait d'un canular monté par Umberto ou Édouard, alors je n'ai pas fait signe à madame Blouin, appelons-la comme ça, mais, quelques jours plus tard, je me suis surpris à penser : « Et si c'était vrai ? » La perspective de rencontrer madame Blouin ne m'inquiétait pas outre mesure; après tout, j'avais affaire à une abonnée d'un quotidien respectable. Mais j'hésitais, anxieux de ne pas savoir quoi faire avec son témoignage, surtout que la dame insistait à chacun de nos échanges téléphoniques sur le grand nombre de documents qu'elle voulait me remettre. J'ai hésité pendant quelques semaines, puis, mon enquête piétinant, je me suis résolu à aller lui rendre visite. Mon intuition aura été bonne : je suis tombé sur une femme enjouée, excellente conteuse, qui m'a reçu pendant un après-midi dans sa coquette maison de Belœil, une maison décorée avec goût, malgré sa cécité.

Je l'ai écoutée pendant trois heures parler de l'existence de Dieu et du diable, du reiki et de la planète Mars, de traumatismes d'enfance et de déprogrammation. La chose que j'ai trouvée la plus étrange, cependant, lors de notre entretien, c'est que son mari, installé au sous-sol pour jouer au Nintendo, n'est jamais monté me saluer. Je ne vois pas là de l'impolitesse, mais de l'incongruité.

Parlant de Dieu et du diable, il est temps que je m'engage dans la deuxième citerne. Je fais à nouveau le signe de la croix et me lance, pour me retrouver de l'autre côté, en compagnie, qui sait, du Christ sur les rives du Jourdain.

*

LE DÉBIT n'est pas aussi irrésistible que celui de la citerne précédente, mais tout de même, des rafales d'eau me fouettent le visage, et j'ai toujours la nausée en haute mer. Ce n'était pas une bonne idée de sortir traîner sur le pont. Rentrons visiter un peu le navire. Ah, voilà encore des animaux : des poules, des porcs, même des chevaux sont maintenus dans des enclos. Je n'y avais jamais réfléchi, mais il faut bien qu'on se nourrisse, pendant la traversée de l'Atlantique, les congélateurs n'existant pas.

C'est l'homme assis près de moi, dans le mess, qui m'a fait penser à ça. Il y a environ une heure que nous discutons, j'arrive presque à en oublier le tangage du bâtiment et l'odeur d'iode et de chou bouilli.

Mon voisin de table me raconte que c'est avec la tête pleine de projets qu'il vient de quitter Glasgow, sa ville natale, et qu'il a très hâte de rejoindre le Nouveau Monde. Mais il préfère ne pas trop y penser : nous en avons encore pour trois semaines avant d'atteindre Montréal. Je déglutis et tente désespérément de voir, à travers l'eau noire de la deuxième citerne, si l'écoutille du prochain canal d'interconnexion approche, mais en vain.

Devant James, car c'est comme ça que mon interlocuteur se prénomme, j'adopte l'attitude détendue et intéressée qu'on prend dans l'avion lorsqu'on bavarde avec la personne que le hasard a placée près de nous. James me confie donc que son intention est de se lancer dans le commerce des fourrures, une fois qu'il débarquera dans la colonie. Il compte parcourir les Grands Lacs, devenir un marchand prospère, vendre des munitions et toutes sortes de marchandises. Assez rapidement (c'est la beauté de l'anglais), on se tutoie :

— Quel est ton rêve, James ?

— Un jour, je m'achèterai une ferme de quarante-six acres et promouvrai la création d'un système d'éducation au Bas-Canada, je fonderai l'Institution royale pour l'avancement des sciences.

— Mais quel est le rapport entre ta ferme et le système d'éducation ?

— Ma ferme, sise sur les flancs du mont Royal, sera un lieu idéal où bâtir un collège à mon nom, pourvu que les Américains n'essaient pas encore de nous envahir et que ça ne tergiverse pas trop longtemps avant que William IV ne signe la charte régissant notre institution.

— Tu prévois ça pour quand ?

— Si les choses marchent comme prévu, le McGill College ouvrira ses portes le jour de la Saint-Jean-Baptiste 1829. Quelques années plus tard, on construira, juste en face du réservoir McTavish, le Pavillon des

Arts où, si les choses marchent comme prévu, tu auras un jour ton bureau.

*

L'INCLINAISON prononcée du canal d'interconnexion suivant m'entraîne du dix-huitième siècle à l'avant-dernière citerne sans même que je puisse reprendre mon souffle. Un froid d'automne me saisit aux os. Je connais cet endroit : je suis sur l'ancienne ferme de James, je ne sais trop combien de décennies après avoir fait sa rencontre en haute mer.

L'eau m'a rematérialisé au cœur d'un immense rassemblement en pleine ville : à l'ouest comme à l'est du portail Roddick, la rue Sherbrooke est bondée, aussi loin que porte mon regard, c'est une marée humaine. Je m'aperçois que je me trouve au milieu d'un petit groupe brandissant des pancartes et je demande à un jeune homme portant un masque à l'effigie d'un conspirateur anglais :

— Pardonnez-moi, qu'est-ce qui se passe ici, pourquoi êtes-vous si nombreux devant McGill ?

— Le bureau du premier ministre est juste de l'autre côté de la rue ! On va lui dire dans sa face à Charest qu'on n'en veut pas de son augmentation des frais de scolarité !

J'offre comme seule réponse un sourire niais, car je ne veux pas contrarier ce type, visiblement sous l'effet de la drogue : d'ordinaire, les manifestations à Montréal rassemblent dans les rues quelques centaines de personnes, tout au plus.

Le petit groupe près duquel je suis se rassemble en cercle. J'entends tout : une fille, un keffieh rouge enroulé autour du cou, dit qu'il est temps d'exécuter le plan, les médias dénombrent deux cent mille manifestants, c'est maintenant ou jamais, il n'y a presque pas de sécurité devant le James.

J'interviens dans leur discussion :

— Le cœur administratif de l'Université, excellente idée... Je connais bien l'endroit, je pourrais vous guider vers le bureau de la principale, j'y ai été reçu lors de mon embauche. Il y a même, sous une cloche en verre, un mousqueton ayant appartenu à McGill !

Je perçois l'inconfort de certains membres du groupe, mais la chef tranche : si je suis un agent provocateur, on le saura bien assez vite, on n'a pas le temps de débattre, le mot circule déjà parmi les camarades, le reste de la manif va venir nous appuyer devant le pavillon ciblé.

Nous atteignons le cinquième étage de l'édifice. Mon adhésion à la bande ne fait plus de doute ; c'est moi qui donne le signal pour que nous déployions la bannière indiquant « 10 NOV. OCCUPONS MCGILL » qu'Ernesto a confectionnée dans l'avant-midi.

Nous sommes prêts pour une longue occupation. Cependant, quelques minutes après la diffusion de notre communiqué de presse, une dizaine d'agents de sécurité prennent d'assaut le bureau de la principale en gueulant : « *Nous avons un visuel sur les insurgents !* »

Est-ce moi qui ai trahi mes camarades sans m'en rendre compte ?

Nous dévalons les escaliers vers le rez-de-chaussée, mais c'est une erreur : une centaine de policiers casqués nous attendent dans le square devant le Pavillon James. Les agents frappent à répétition leur bouclier avec leur matraque, vacarme assourdissant qui rythme la progression de l'escouade.

Un hélicoptère tournoie lentement au-dessus de la scène. Depuis la cabine, un commandant lance, au moyen d'un mégaphone, ces mots : « *Cette manifestation est illégale. Dispersez-vous.* » Il a à peine terminé sa phrase que des agents au sol nous vaporisent de poivre de Cayenne. Certains camarades sont refoulés vers le bas de la pente, je lève pour ma part les mains dans les airs et je crie que je me rends.

Des grenades assourdissantes retentissent à trois reprises, et le gaz irritant commence à disperser la foule, le continuum de recours à la force nécessaire pour libérer le campus des manifestants évolue : communication, contrôle physique modéré, contrôle physique intense, armes intermédiaires. Nous en sommes là.

La dernière étape avant « usage de force mortelle », c'est les balles de caoutchouc. Comme je n'ai pas envie de perdre un œil, je me mets à courir sur

Milton jusqu'à l'avenue du Parc. La cavalerie bloque tous les carrefours au nord comme au sud.

Je m'échappe donc par le dernier canal d'interconnexion.

*

LE CONDUIT est assez large pour que je me redresse de tout mon long. Je suis à même de constater les dommages cutanés que cette étrange baignade a causés. Candice avait-elle calculé que mon passage dans les trois premières citernes provoquerait des rougeurs aussi vives ? Pendant combien d'années ai-je été immergé pour que ma peau soit aussi ratatinée ?

J'hésite à me hisser à l'extrémité du canal d'interconnexion. Car, une fois dans la dernière citerne, c'est-à-dire immergé dans la piscine de Ravenscrag, il sera trop tard pour abandonner mon plan.

Comment fait-on pour tuer un homme, dans la vraie vie ?

J'examine une dernière fois ce fusil de polymère que j'ai porté en bandoulière du crétacé jusqu'au bureau de la principale. Je doute à nouveau de son efficacité, surtout depuis qu'Édouard est passé du registre de la mécanique à celui de la croyance... Aide ton fusil et ton fusil t'aidera, quelle bonne blague. J'aurais dû suivre mon instinct, me procurer une arme de précision, convaincre le cousin d'Umberto de me laisser abattre Cameron de loin, de dos, est-ce que je sais, tout pour éviter de lui parler. Car l'avertissement de Candice m'angoisse : c'est quand il se dira faible qu'il sera en fait le plus fort.

Avez-vous lu Jean-Patrick Manchette ? On lui doit d'excellents polars, dont *La position du tireur couché*, mon livre préféré de lui. Manchette, au fil des pages de ce roman, règle une fois pour toutes le compte des scénarios préfabriqués. À la fin de *La position*, l'écrivain transforme son héros, Martin Terrier, le meilleur tueur à gages de sa génération, en serveur de brasserie dans une localité des Ardennes françaises, un peu comme si le narrateur de *Prochain épisode*, à la fin du roman, au lieu de se brûler la cervelle sur le terrain de Villa Maria, décidait de se faire embaucher par le dépanneur d'en face et d'y passer le reste de sa vie à fantasmer sur les photos de Grace Kelly dans *Paris Match*. Moi, ce n'est pas que j'aie renoncé à lutter au corps à corps avec la narration, c'est que je joue aux échecs et qu'en trente ans je n'ai pas gagné une seule fois. Écrire, c'est jouer ; et jouer, c'est perdre.

S'habitue-t-on jamais à raconter des histoires qui ne fonctionnent pas ?

Dans d'autres versions de ce livre, les événements se succédaient sans coupe. C'était lisse : j'ouvrais et je fermais beaucoup de portes, je déplaçais des personnages d'une scène à l'autre, l'ennui, quoi. Dans une scène, Candice se coupait les ongles avant de se les limer. En plus, c'était laborieux à écrire, alors j'ai tout effacé. Autrement, quel intérêt ? J'aime mieux pianoter des choses qui m'amusent, même si vous êtes moins nombreux sur la piste de danse.

*

JE DIGRESSE, je diffère, c'est évident, je pourrais traverser le canal d'interconnexion en deux secondes, mais, maintenant que j'arrive au bout du chemin, j'ai envie de revenir à mon point de départ.

Je mettais hier la dernière main à cette capsule, et l'idée m'est venue de téléphoner à Capucine pour l'inviter au Faculty Club, chic maison du dix-neuvième siècle réservée aux professeurs de McGill. J'y ai mes habitudes, bonjour cher ami, club sandwich, thé glacé, l'addition.

Au téléphone, Capucine m'avoue que mon appel la surprend. La dernière fois qu'on s'est vus, c'était dans un autre monde, chez Léa-Catherine, il y a six ou sept ans.

— Justement !

— Justement quoi ?

— Te souviens-tu de l'Italien qui t'avait draguée sous la pergola ? Je voulais raconter cette anecdote dans mon livre, mais si tu ne t'en souviens pas, je ne pourrai pas le faire, sinon personne ne pourra attester la réalité de ce que j'écris.

— Ah, je vois. Bonsoir l'authenticité, c'est ça ?

— Oui, ça complique pas mal les choses.

— Merde... Est-ce que je peux quand même être dans ton livre ? Au pire, écris « arbalète » ou « pamplemousse », et je saurai que c'est pour moi.

— Ah, ça, c'est impossible, malheureusement. Après *Matamore n° 29*, un libraire m'a dit : « Votre livre, c'est une fête, mais nous ne sommes pas invités. »

— C'est vrai que je n'y ai rien compris.

— Je sais, et tu n'es pas la seule. Eh bien, dans mon prochain, finies les références obscures, ligne du temps claire, pas d'ellipse ni de digression, personnages complexes dotés de motivations diverses et nuancées, prose artiste et intrigue implacable. J'en ai marre de me faire embêter par mon éditeur, je veux faire un roman normal. Cela dit, je prêterais peut-être à Candice un peu de ta frivolité.

— Oui ! Et Candice pourrait aussi avoir trois chats : un noir, un gris, un roux ?

— Alors Candice a trois chats : un noir, un gris, un roux.

*

JE ME MAINTIENS près du fond de la piscine de Ravenscrag à l'aide de lents mouvements de rotation des bras et des jambes. Je suis un crocodile, un blobfish, du phytoplancton. J'attends qu'il m'arrive quelque chose, mais la pression devient trop forte dans mes oreilles, et je remonte à la surface, ne laissant que mes yeux émerger. Je jette un regard prudent aux alentours. Ne voyant personne, je nage vers l'escalier de la piscine, que je gravis d'un seul élan.

Je me dirige vers la porte métallique, le bruit mouillé de mes pas se répercutant sous la voûte de la salle. Je m'apprête à l'ouvrir lorsque, venant de derrière, une voix familière me fait sursauter :

— Je me doutais bien que nous n'en avions pas fini avec vous, professeur.

Diop, élégant dans un peignoir de soie jaune noué à la taille, semble amusé par mon apparition. Son visage est plus pâle que jamais, comme si le chlore l'avait décoloré.

— Voyez-vous, c'est une mauvaise idée que vous avez eue de revenir. Mademoiselle Cameron me disait, l'autre jour, à quel point vous raisonnez mal : c'est un obsédé, il va essayer d'entrer en contact avec mon père par tous les moyens… Dieu sait ce qu'il a en tête. Je crois que vous apprécierez les quelques aménagements qui ont été réalisés juste pour vous garder ici avec nous.

— Vous me menacez alors que je suis armé ?

— Vous parlez de ce jouet ? Si ça trouve, il tire de l'eau, et encore.

— N'est-ce pas ? J'ai dit la même chose quand j'ai vu ce fusil la première fois.

— Ça ne m'étonne pas. Vous n'avez jamais réalisé à quel point nous nous ressemblons ?

— Vous n'allez pas me révéler que vous êtes mon père, quand même ?

— Non, je laisse ça aux vilains de space operas. Mais je vous dois quelques explications sur les liens qui nous unissent.

Diop s'apprête à développer, mais il en est empêché, tétanisé par mon geste. Sa surprise est moins grande que la mienne, moi qui comprends en différé, comme si une moitié de moi-même agissait sans en informer l'autre.

Tout s'est passé en quelques secondes, j'ai saisi mon fusil à deux mains, je l'ai levé à la hauteur de mes yeux les bras tendus, comme pour viser, réflexe ridicule car en même temps je les ai fermés, les yeux. Pointant l'arme vaguement en direction de Diop, j'ai crié, avec une voix bizarrement métallique :

— *Tiens, crapule ! L'effet est dans la cause, le projectile dans la gâchette !*

Je regarde Diop, étendu sur le sol. J'ai eu tort d'être incrédule, les dommages causés par mon fusil sont surprenants. Le veilleur, raide mort, se met à pâlir encore plus et montre, degré par degré, d'autres visages que le sien. Ses traits empruntent successivement ceux de Montaigne Racine, mon vieil ami de l'orphelinat, puis ceux de Christian Loubaki dit Enfant Mystère, domestique de Sir Hugh Allan et inventeur de la SAPE, puis ceux d'un troisième visage, étrangement familier, mais que je ne réussis pas à reconnaître.

Je m'agenouille près du cadavre de Diop et j'entreprends de lui frotter la peau du visage. Je veux en avoir le cœur net, mais mon visage s'engourdit, plus que jamais. Pas grave, je continue à frotter. La cire à chaussure noire, avec laquelle il obscurcissait le teint de sa peau, part progressivement, dévoilant des traits qui se dérobent à toute identité, comme si à force de nettoyer un miroir on abolissait la réflexion elle-même.

*

DE L'AUTRE côté de la porte d'acier, Ravenscrag est méconnaissable : disparus, les escaliers en spirale, le marbre noir, les trente-six chambres. Le manoir s'est transformé, maintenant réduit à un seul et interminable corridor, vertigineux à l'horizontale, dans lequel je n'ai d'autre choix que de m'avancer, sans savoir ce qui m'attend au bout.

Comment Cameron a-t-il pu modifier cet endroit depuis ma dernière visite ? Ravenscrag est-il fait, plutôt que de pierre, du même polymère que mon fusil-jouet ? Sa structure se manie-t-elle au gré de notre désir, comme de la pâte à modeler ou le langage, l'ultime plastique ?

Je marche d'un pas régulier vers je ne sais trop où, mais les battements de plus en plus rapides de mon cœur m'indiquent que le corridor monte légèrement. Je tiens mon arme bien serrée contre ma poitrine et tente de ne penser à rien, moyennant quoi je figerais dans une panique sans objet et serais incapable de faire un pas de plus.

*

IL Y A bien une heure que je progresse dans la pénombre du couloir quand je crois en apercevoir enfin le bout ; devant ce qui semble être une porte, une silhouette se détache, immobile. Bientôt séparé d'elle par une trentaine de mètres à peine, je reconnais Salomé, Salomé Cameron.

— C'est ici que votre histoire se termine, Farah, pour peu qu'elle ait jamais commencé.

Ce n'est bien sûr pas le moment de la complimenter, mais je remarque sa tenue, une déclinaison gothique de la petite robe noire classique, qui se termine, juste en haut des genoux, par un ourlet de fourrure.

— C'est du lapin, dit-elle.

— Pardon ?

— Vous hésitez à me parler de ma robe, mais allez-y, c'est tout ce que les femmes sont pour vous, de toute manière, des cintres, des visages à maquiller, des images en mouvement. Vous êtes un pauvre type.

— Je ne saurais mieux dire.

— Vous nous avez fait perdre assez de temps.

— Votre robe me dit quelque chose... N'est-ce pas celle que porte Anna Karina à la fin d'*Alphaville* ?

— C'est ce que je disais, un pauvre type qui vénère les films ratés. Vous qui aimez les références, vous n'avez même pas été foutu de comprendre mon avertissement. Si vous aviez mieux lu le livre que je vous ai donné, si vous aviez mieux écouté le disque que je vous ai offert, vous ne seriez pas ici, comme un rat de laboratoire, sur le point de vous faire griller le cerveau.

Quelques-uns des vers reproduits dans le livret de l'album du Wu-Tang Clan me reviennent en tête. Je les récite à Salomé :

— « Quand j'étais petite, mon père était le plus grand samurai de tout l'Empire. On l'appelait le Dépeceur, il avait coupé la tête de cent trente et un seigneurs... »

Une expression de tristesse passe sur son visage et elle enchaîne :

— « Le shogun restait terré dans son château, son esprit infecté par des démons. » On pourrait continuer longtemps comme ça, mais rien ne sert de vivre dans le passé.

— Vous allez me couper la tête, Salomé ?

— Ce qui est effrayant dans le présent, c'est qu'il est irréversible. Vous couper la tête ? Ha ha ha, vous et vos allusions bibliques. Je vais vous faire bien pire que ça.

Sans attendre plus de précisions, je ferme les yeux et braque mon arme vers elle en criant les mêmes phrases que tout à l'heure à Diop. Le fusil produit le même effet : Salomé s'effondre au sol, mais pas sans avoir répété :

— Je vais te faire bien pire que ça.

*

JE NE SAIS PAS comment Salomé s'y est prise, mais je me retrouve au garage avec Édouard, on entend fonctionner le mécanisme du pont élévateur. Nous nous apprêtons à installer une courroie de distribution sur la Passat d'un voisin.

Après quelques minutes de travail, nous prenons une pause. Je montre à mon cousin ma cigarette électronique avec chargeur USB qui indique en temps réel à tout mon Rolodex que je fume un « mélange américain ». Il me l'emprunte pour l'essayer ; il en tire trois ou quatre longues bouffées en retournant vers la voiture. Il s'arrête subitement, et la cigarette tombe par terre. Il se plaint de douleurs vives dans le dos. Il prend de grandes inspirations, et je me dépêche d'aller lui chercher un verre d'eau.

Quand je reviens, il dit qu'il va mieux, mais l'instant d'après il se met à vomir.

— Rentrons à l'appart, tu iras te coucher dans ma chambre. Tu as sans doute attrapé un virus.

— Je ne pense pas. Ça fait des mois que j'ai mal au dos. Est-ce que je peux prendre une douche ?

— Bien sûr que oui, mais tu ne devrais pas dormir un peu à la place ?

— Il y a juste l'eau chaude qui m'aide. Je pense que mes vaisseaux se dilatent quand je me plonge sous l'eau bouillante, ça aide ma circulation.

— On ne devrait pas appeler l'ambulance ?

— Sérieux, je n'ai vraiment pas envie d'aller à l'hôpital. Pas après ce qui est arrivé à mon père.

Pendant que mon cousin est sous la douche, j'hésite à appeler les ambulanciers. Dès qu'il sort de la salle de bain, par contre, je le supplie de me laisser composer le 911 : il a le teint verdâtre et admet que les douleurs ont repris de plus belle. Il accepte, et l'ambulance arrive à peine cinq minutes après l'appel.

Les ambulanciers installent Édouard sur mon lit, posent plusieurs machines autour de lui. Je n'ose rien demander de crainte de déranger, mais je crois qu'ils lui font subir un électrocardiogramme. L'un des deux ambulanciers, en fait une femme d'une trentaine d'années, après avoir étudié brièvement les résultats du test, dit à Édouard :

— Votre cœur est en train de lâcher, mon bon monsieur. On s'en va à l'Institut de Cardiologie, vous devez voir un médecin tout de suite.

Le regard qu'Édouard me lance à ce moment-là est terrible. En quittant la maison, couché sur la civière, il enlève son masque à oxygène et me dit :

— S'il m'arrive quelque chose, tu vas prendre soin de mes enfants ?

Je suis incapable de répondre quoi que ce soit.

Les ambulanciers l'emmènent vers leur véhicule et démarrent en trombe.

Je tourne en rond dans ma cuisine, je n'arrive pas à prendre la plus simple des décisions. La sonnerie du téléphone me sort de ma torpeur. Je ne réponds pas et me dirige plutôt vers ma chambre, où le t-shirt d'Édouard traîne encore par terre.

*

LORSQUE je me réveille, je suis au centre d'un immense cube noir dont il m'est impossible d'évaluer les dimensions tant la luminosité de la pièce est diffuse.

Il ne fait ni chaud ni froid.

Mon premier réflexe est de vérifier si j'ai encore mon fusil en bandoulière. Je ne l'ai plus.

La voix de Cameron, caverneuse et métallique, résonne à travers le cube, sans point d'origine décelable, de partout à la fois, il fredonne l'air funeste que chante Jean Lapointe à la fin des *Ordres* :

— « Écoutez mon histoire jeune homme qui a voyagé / La mort peut apparaître sans que vous l'attendiez / Avec sa main de traître elle pourrait vous frapper ». That's the lyrics, Farah, isn't it ?

Je lève la tête et m'adresse à cette voix dont je ne connais pas la provenance :

— Je ne m'attendais pas à parler de notre folklore avec vous.

— Pourquoi ? Vous n'aimez pas les échanges culturels ? Vous portez un nœud de cravate double Windsor, alors je peux bien vous chanter *La complainte à mon frère*.

Cameron apparaît devant moi. Si je n'étais pas

immobilisé par une force étrange, je pourrais l'atteindre en deux enjambées.

— Vous ne portez pas le même nom que votre oncle, mais vous avez les mêmes travers détestables que lui. Toujours à vous fourrer le nez dans les affaires des autres.

Des maux de tête paniquants m'assaillent, mais je parviens tout de même à lui répondre :

— Peut-être, mais j'ai au moins le courage d'être ici. Vous avez profité de la faiblesse de Nab en l'achevant alors qu'il était rongé par la maladie.

— J'admets être étonné que vous ayez réussi à tenir le coup sans capsules. J'ai toutefois eu raison de croire en vous. Bientôt, ma mission principale sera accomplie, je vous aurai détruit et vous serez quelqu'un d'autre.

— Vous délirez, Cameron. Vos années à déprogrammer les gens vous ont usé.

— You are right, je sens la fin approcher. Je destinais mon laboratoire à ma fille, mais quand j'ai compris que vous vouliez vous venger, je me suis dit : il sera ma dernière œuvre.

— De quoi parlez-vous ?

— Arrivé au coin d'University et de l'avenue des Pins, ce n'est pas ce larbin de Penfield que vous êtes allé voir... Vous avez tourné à gauche, vous êtes venu vers moi, parce que vous saviez que j'étais le seul à pouvoir vous donner une histoire.

— Vous pensez que j'ai fait tout ça pour avoir quelque chose à raconter ?

— Non, je me suis mal exprimé. J'aurais dû dire : vous redonner votre histoire. Car Ravenscrag, après tout, c'est votre maison presque autant que la mienne. Vous l'aviez oublié, peut-être, alors je n'ai fait que vous rafraîchir la mémoire. Cela prouve bien que je ne vous traite pas comme les autres : d'habitude, la mémoire, je l'efface.

— Vous vous croyez puissant, Cameron, parce que vous ne contrôlez que des gens faibles, au bord de l'effondrement.

— Je préfère être du côté de la puissance que de celui de l'idiotie, professeur. Vous préférez quémander à tous un peu d'amour, en faisant des facéties pour quiconque vous le demande. Vous n'avez pas compris le grand contexte. Je me suis débarrassé de votre oncle parce qu'il n'a pas su saisir la chance qui s'offrait à lui et profiter de ce nouveau pouvoir. Entrer dans la tête des gens, les contrôler, les détruire, les reconstruire.

— Écrire des livres, c'est bien assez pour moi.

— Vous me direz si vous êtes capable de vivre ce que je vous réserve, avec vos livres.

Cameron, qui au fur à mesure de l'échange s'est approché de moi jusqu'à susurrer ses derniers mots à mon oreille, recule d'un pas.

Malgré sa petite taille, il fait un geste ample, une

sorte de mouvement très théâtral, en direction d'une des faces du cube, qui se transforme en écran de cinéma.

C'est une image de moi qui est projetée.

*

JE ME TROUVE à l'arrière d'une ambulance, mais ce n'est pas aux côtés d'Édouard que je suis. J'accompagne ma mère qui ne va pas bien du tout. Elle me serre la main, les yeux grand ouverts.

Les ambulanciers m'expliquent qu'ils sont en train de la perdre, qu'ils n'auront pas le temps de se rendre à l'Institut de Cardiologie, qu'il faut s'arrêter au Sacré-Cœur.

Ses poumons sont remplis d'eau, elle subit un infarctus massif, l'équipe de l'hôpital est déjà en train de préparer la salle d'opération.

Lorsque nous arrivons au Sacré-Cœur, le spécialiste me parle de remplacement de valve aortique, de remplacement d'aorte ascendante, de pontages coronariens. Je ne comprends rien à ce qu'il raconte et, de toute manière, tout ce que je veux savoir, c'est s'ils vont pouvoir la sauver.

Dans ma tête, les phrases se fracassent les unes contre les autres : comment fais-tu, Cameron, pour me faire vivre des choses comme ça ? Quelles étaient les chances qu'avant même que je finisse le livre que je te consacre, ma mère et mon cousin fassent eux aussi, comme Nab, une crise cardiaque ? Comment peut-on expliquer *ça* ?

De l'autre côté de l'écran, depuis son cube noir, il me répond :

— Tu ne sais pas à quoi tu joues, Farah. Tu pourrais à nouveau traverser l'écran, t'approcher de moi, j'irais même jusqu'à te redonner ton fusil et tu me tiendrais en joue. Que tu m'épargnes ensuite ou me loge une balle dans la tête n'y changerait rien : j'ai déjà gagné.

— Qu'est-ce qui te fait dire ça ? Maintenant que je t'ai trouvé, je vais te détruire, brûler ton manoir, libérer tes patients.

— Tu veux dire *tes* patients, Farah. Tu es tellement naïf, c'est à pleurer. Regarde bien de l'autre côté de l'écran, installe-toi devant ta série préférée, elle est sur le point de commencer.

*

IL N'Y A PLUS que moi dans le cube noir.

C'est l'espace intergalactique, plus besoin de me réfugier nulle part, l'espace m'appartient, le grand cube noir aussi, toutes votres bases sont m'appartiennent !

Bien enfoncé dans mon fauteuil, j'active l'interphone qui projette ma voix à travers toute la ville, du fleuve Saint-Laurent à la rivière des Prairies :

— *En l'an 2012, dear lower classes of the new order, la guerre est terminée.*

Je m'inquiète un instant de la bombe fixée sous mon fauteuil puis je me souviens que oui, je suis la bombe, je suis le fauteuil. Je n'ai plus rien à craindre, la guerre est terminée.

Je sifflote un air léger. Mon tableau de bord m'indique que les dosages sérotoninergiques sont ajustés, que les consciences de mes ennemis seront entièrement assujetties d'ici quelques minutes.

J'active les canons à feu en survolant le centre-ville. M'éloignant de la station McTavish, une fois de l'autre côté de la montagne, j'abats des gens aléatoirement à coup de rayons gamma, sans rien ressentir, pas même la nostalgie de ne plus être un humain. Au contraire, il est bon que le futur soit enfin arrivé. Car, dans tout ce que j'ai fait, du jour où j'ai écrit ma première phrase jusqu'à hier, jour de ma substitution, rien ne m'a autant rendu malade que mon incapacité à devenir un autre, une corneille, un tueur à gages, une mère souffrante, une soi-disant victime de la CIA, mais désormais je me sens bien, je suis Ewen Cameron, je ne suis plus prisonnier de moi, je sais créer autre chose, je sais devenir autre chose, je n'ai plus besoin de parler, je n'ai plus besoin d'écrire, je laisse les romans aux romanciers.

Je pilote un vaisseau spatial.

PLUS JAMAIS

JE SUIS Marion Blouin et, si j'ai décidé de prendre contact avec vous, c'est qu'une amie m'a appelée l'autre jour pour me dire que, dans le journal *Le Devoir*, on mentionne que vous préparez un livre qui s'intéresse aux liens entre McGill et la CIA.

J'ai subi des traitements à l'Institut Allan Memorial et j'aimerais faire connaître au monde mon histoire.

Je serais d'accord pour que vous vous inspiriez de ma vie pour écrire une histoire fictive : ils ont déjà tourné un film avec Macha Grenon sur le sujet et les victimes ont tout de même obtenu dédommagement de la part du gouvernement canadien.

Si c'est dur de tout vous raconter aujourd'hui, ce n'est pas juste à cause de mes émotions, c'est pour une raison technique : il m'est difficile de tout reprendre du début, dans le bon ordre naturel où les choses arrivent, du passé vers le présent. Par automatisme, je me rappelle plutôt les choses dans l'ordre où ma mémoire a été reprogrammée, du présent vers le passé.

Ma mère était très contrôlante et elle a appliqué la méthode qu'on lui a apprise à l'Institut Allan Memorial. Elle a reçu des instructions du docteur Cameroun, qui lui a personnellement enseigné comment reprogrammer mon passé.

La première chose que je crois savoir, c'est que je suis née en 1952 à Cartierville dans le nord de Montréal.

La deuxième, c'est qu'à trois ans, le jour de l'anniversaire de ma voisine, son mari et ses deux fils m'ont enfermée dans une pièce et m'ont violée et frappée tellement fort sur la tête que je suis devenue aveugle. J'ai été abusée plusieurs fois, les viols se sont répétés.

Selon mes calculs, j'ai été traitée au Allan entre 1956 et 1958. On m'a déprogrammée pour que j'oublie les sévices infligés par le voisin, qui était aussi le patron de mon père, je ne pense pas vous l'avoir dit.

Le voisin avait les moyens de payer pour que ma mémoire soit effacée.

Mon père était forcément dans une situation difficile parce qu'il dépendait du voisin. Il a dû accepter. Il a commencé à jouer, il a commencé à boire. Un soir de chicane, il a essayé de tuer ma mère en la frappant avec une barre de fer. J'étais dans un coin de la pièce, j'ai tout vu.

Ma mère, quand elle a repris connaissance, m'a emmenée dans ma chambre et elle a appliqué la méthode du docteur Cameroun.

Je l'entends encore me dire : « Retourne dans le passé, ma petite Molly, le passage que tu trouves laid, le passage où ton père essaie de me tuer avec la barre de fer, efface-le de ta mémoire et mets par-dessus une belle histoire. » Je me souviens de ma réponse : « Maman, je ne peux pas retourner avant, je suis après. » On dirait qu'elle voulait s'assurer que j'oublie, alors elle répétait sans cesse : « Pardonner, c'est oublier, Molly. Pardonner, c'est oublier. »

La façon dont ils ont tenté de me déprogrammer n'a pas marché, puisque j'ai depuis longtemps des réminiscences. Le problème de la technique du Allan, c'est qu'elle envisage la mémoire à l'envers : si dans nos souvenirs on considère le passé à partir du présent, on va vers une plus grande confusion.

Dans mon adolescence, j'ai pris l'habitude de me réfugier à l'église Notre-Dame-du-Bel-Amour sur l'avenue Jean-Bourdon, toujours à Cartierville, pour aller prier.

C'est à cette époque que j'ai réalisé que des choses ne tournaient pas rond. Je suis remontée dans le temps pour constater que mes soupçons étaient fondés.

La veille de mon entrée à la maternelle, ma mère m'a avertie : si je disais des choses pas belles, comme par exemple que papa nous frappait avec une barre de fer, elle m'enverrait à l'école de réforme, une prison où vont les enfants qui parlent en mal de leurs parents. La preuve que j'ai été programmée au Allan, c'est que je ne comprenais pas l'avertissement de ma mère.

Pourquoi aurais-je dit du mal de ma famille si j'avais l'impression que tout était parfait ?

À un moment donné, j'ai eu besoin de me libérer du joug de ma mère en la convainquant de me laisser partir en Europe lors d'un voyage organisé par un orphelinat catholique près de chez moi. Au sein de notre groupe, il s'est vraiment créé une belle dynamique. Nous avons visité plusieurs pays, mais c'est en Italie qu'une chose bizarre m'est arrivée.

J'étais allongée sur le sable d'une plage blonde de la côte amalfitaine, près de René-Luc Desjardins, un bon garçon déjà fiancé, futur médecin, en plus. J'avais pleinement confiance en lui, et c'était réciproque. Tout à coup, j'ai vécu un épisode amnésique.

À notre retour, les gens du groupe se sont retrouvés pour le diaporama de nos photographies. Je me suis rendu compte qu'une des photographies me montrait au bras de René-Luc... Je peux vous dire que nous avions tous les deux cette étincelle dans les yeux qui prouve qu'il s'était passé quelque chose d'ordre sexuel entre nous.

Sur le coup, je ne m'étais pas méfiée, j'avais une entière confiance en René-Luc : il était fiancé, il deviendrait médecin. Après, par contre, je me suis demandé s'il ne m'avait pas déprogrammée pour me faire oublier qu'il m'avait violée. C'est peut-être pour cette raison que je ne ressentais aucune détresse devant ce qui s'était passé : je ne le savais pas.

En faisant des recherches, j'ai découvert, quelques années plus tard, que René-Luc Desjardins travaillait avec vous à McGill. Vous savez quel est son domaine de spécialité ? Il dirige une chaire de recherche sur l'amnésie.

J'ai décidé de prendre contact avec lui pour qu'il m'aide à retrouver la mémoire. C'était une stratégie. Entre-temps, j'ai appris que René-Luc avait eu une altercation avec le propriétaire d'un vignoble, mort depuis, apparemment d'un suicide. Selon mon amie, la même qui vous a vu dans *Le Devoir*, la cause du décès serait beaucoup plus nébuleuse. René-Luc aurait fait de lui son cobaye : il aurait tenté d'effacer de sa mémoire l'aventure que lui, René-Luc, aurait eue, pendant ce même voyage en Europe auquel j'ai participé, avec la fille du propriétaire du vignoble. Sa mort aurait été maquillée en suicide pour ne pas nuire au laboratoire de René-Luc.

J'ai voulu en avoir le cœur net. J'ai donc écrit une lettre à McGill dans laquelle je leur ai dit que, si j'obtenais un rendez-vous avec René-Luc, je viendrais en compagnie d'une personne qui possède une arme pour me protéger, mais ils ne m'ont jamais répondu.

Vous savez, monsieur Farah, mes problèmes ont vraiment commencé quand j'ai décidé d'écrire un livre sur mon histoire. Quand je lui en ai fait part, ma famille m'a interdit de l'écrire, elle m'a dit : « Tu ne dois pas parler de ce qui s'est passé. » Encore une fois, je ne comprenais pas à quoi ma famille faisait référence. Tout était beau dans ma tête grâce à la technique du docteur Cameroun.

Je ne pouvais pas savoir tout ce qu'on me cachait.

J'imagine que les traitements du Allan étaient accompagnés d'instructions à l'attention du reste de la famille, car tout le monde était solidaire dans le silence pour me faire croire que tout allait bien.

Un oncle m'a même dit qu'il pouvait me montrer comment oublier à nouveau, et c'est là que j'ai eu pour la première fois la puce à l'oreille, et j'ai compris : si je me suis mise à oublier mon passé, c'est parce qu'on m'a volontairement induite en erreur, pour que j'oublie la violence. On m'a imposé une histoire fausse, une histoire que je n'avais pas vécue, on a remplacé mon histoire par d'autres histoires.

Je ne sais pas si vous avez des enfants, monsieur Farah, mais moi, je trouve inadmissible que des parents aient aidé le docteur Cameroun à faire subir de tels traitements à des petits. Ces gens-là se faisaient sans aucun doute promettre que leur progéniture serait incapable de les dénoncer à la police.

Heureusement, grâce à mon projet de livre, j'ai découvert qu'avant, j'étais sur le mode « présent vers le passé » ; par reprogrammation, on a réussi à me faire remonter jusqu'à ma tendre enfance pour effacer ma vraie histoire et en réécrire une autre sur le mode « passé vers le présent ».

Cette technique m'a plongée dans la confusion, et

j'aimerais que vous compreniez comme il est inconfortable de vivre dans deux époques en même temps.

Pour remettre tout ça en ordre, je me suis tournée vers d'autres techniques. Je vais peut-être vous étonner, mais, pour réaligner mon corps, j'ai participé à un rituel d'exorcisme. Je suis descendue directement dans mes souvenirs pour arrêter d'être à côté d'eux. Quand je vous dis ça, je ne veux pas que vous pensiez que j'ai eu une vie où j'ai bu de l'alcool ou pris de la drogue. N'allez pas croire que j'étais sous le contrôle du diable, mais j'ai quand même décidé de me faire aider. Ce n'était pas un exorcisme selon le rituel de l'Église catholique. J'ai plutôt suivi l'énergie de la planète Mars à l'occasion d'une séance de reiki qui m'a permis de procéder à un réalignement énergétique des vingt-deux corps évolutifs de mon aura. À partir de cet exorcisme, j'ai été capable de mettre fin à la programmation « présent vers le passé » en créant un état dans lequel je voyageais désormais à partir du passé vers le présent et même l'avenir.

Maintenant, j'ai l'impression de connaître mon histoire, mais ça n'a pas été simple. C'est mon pharmacien qui m'a dit, quand je suis allée le consulter dans la petite alcôve où on peut se parler confidentiellement, que ce que je vivais lui faisait penser aux patients ayant subi des traitements au Allan. C'est là que j'ai compris que j'étais une victime du docteur Cameroun.

Je vous remercie beaucoup de vous être déplacé

pour m'écouter. Mon avocat m'a expliqué que, selon des traités signés par le Canada, il est interdit de porter atteinte à l'identité des gens. Mon but est de faire valoir que j'ai subi un acte de torture selon les articles 16, 17 et 18 du Protocole d'Istanbul, et j'invite toute autre victime ou tout journaliste qui voudrait m'aider dans mon enquête à communiquer avec moi.

Je vous remercie de sensibiliser la population au danger de la reconstitution du passé sous prétexte qu'en retournant en arrière on peut changer le cours de l'histoire et se libérer de nos regrets.

Ça ne marche pas comme ça.

Même si on veut nous donner des médicaments, nous faire entendre des messages dans des casques de football, même si on essaie de nous reprogrammer pour changer notre histoire, je ne crois pas qu'on puisse vivre dans un présent imbibé, augmenté, appelez ça comme bon vous semble. On peut bien tenter de nous faire oublier les traumatismes de l'enfance, mais ils sont enregistrés loin dans nos têtes.

Peut-être que la violence peut être remplacée par une autre histoire. Peut-être qu'ils peuvent détruire les dossiers médicaux ou encore nous dire que nous ne sommes pas courageux, mais nous n'allons pas nous laisser faire.

Non, monsieur, nous aussi nous trouverons les moyens d'introduire des ressources dans le passé, nous construirons des bases.

Je pense que ce que je vous raconte donnera envie à d'autres victimes de se battre, de prendre conscience des histoires qu'on essaie de nous raconter pour nous déprogrammer.

Je vous le dis, monsieur Farah, si tout le monde se rassemblait pour éliminer ceux qui veulent nous éliminer, tout le monde serait guéri.

Je sais nos ennemis sont puissants, je sais qu'ils développent déjà de nouvelles techniques. Cette histoire n'est pas finie. Au contraire, il faut maintenant tout reprendre du début, dire non, non à la manipulation du passé, non à la manipulation du présent, et c'est seulement ainsi qu'on pourra dire que nous n'avons pas souffert pour rien. En attendant, il faut dire non, je dis non, il n'y a rien d'autre à faire que de dire Non.

TABLE DES MATIÈRES

‹ SÉRIE QR ›

AMALVI, Gilles

AïE ! Boum, poème-fiction, 2008

BERGERON, Mathieu

La suite informe, poésie, 2008

BERNIER, Claude

Ju, poésie, 2005

BOILY, Mathieu

Cœur tomate, poèmes, 2013

BORDELEAU, Érik

Foucault anonymat, essai, 2012

BOTHEREAU, Fabrice

Pan-Europa, poésie, 2005

BOUCHARD, Hervé

Mailloux, roman, 2006

Parents & amis sont invités à y assister, roman, 2006

BREA, Antoine

Méduses, roman, 2007

BRISEBOIS, Patrick

Trépanés, roman, 2011

Chant pour enfants morts, roman, 2011

CHARRON, Philippe

Supporters tuilés, poésie, 2006

Journée des Dupes, succession, 2013

COBALT, Loge

Guillotine, poésie, 2003

COURTOIS, Grégoire,
Révolution, roman, 2011

CLÉMENS, Éric
L'Anna, roman, 2003

DAVIES, Kevin
Comp., poésie, 2006

DE GAULEJAC, Clément
Le livre noir de l'art conceptuel, dessins, 2011
Grande École, récits et dessins, 2012

DE KERVILER, Julien
Les perspectives changent à chaque pas, roman, 2007

DIMANCHE, Thierry
Autoportraits-robots, poésie, 2009

DUCHESNE, Hugo
Furie Zéro, bâtons, poésie, 2004

DUFEU, Antoine
AGO – autoportrait séquencé de Tony Chicane, récit, 2012

FARAH, Alain
Quelque chose se détache du port, poésie, 2004
Matamore n° 29, roman, 2008
Pourquoi Bologne, roman, 2013

FROST, Corey
Tout ce que je sais en cinq minutes, fictions, 2013

GAGNON, Martin
Les effets pervers, roman, 2013

GAGNON, Renée
Des fois que je tombe, poésie, 2005
Steve McQueen (mon amoureux), poésie, 2007

GENDREAU, Vickie
Testament, roman, 2012

KEMEID, Olivier, Pierre LEFEBVRE
et Robert RICHARD (dirs)
Anthologie Liberté *1959-2009 :*
l'écrivain dans la cité – 50 ans d'essais, 2011
LAFLEUR, Annie
Rosebud, poèmes, 2013
LAUZON, Mylène
Holeulone, poésie, 2006
Chorégraphies, poésie, 2008
LAVERDURE, Bertrand
Sept et demi, poésie, 2007
Lectodôme, roman, 2008
LEBLANC, David
La descente du singe, fictions, 2007
Mon nom est Personne, fictions, 2010
LÉTOURNEAU, Sophie
Chanson française, roman, 2013
MIGONE, Christof
La première phrase et le dernier mot, 2004
Tue, 2007
MORIN, Alexie
Chien de fusil, poèmes, 2013
NATHANAËL
Carnet de délibérations, essai, 2011
Carnet de somme, essai, 2012
PHANEUF, Marc-Antoine K.
Fashionably Tales, poésie, 2007
Téléthons de la Grande Surface, poésie, 2008
Cavalcade en cyclorama, poésie, 2013

PLAMONDON, Éric

Hongrie-Hollywood Express, roman, 2011

Mayonnaise, roman, 2012

Pomme S, roman, 2013

POULIN, Patrick

Morts de Low Bat, fiction, 2007

RÉGNIEZ, Emmanuel

L'ABC du gothique, fiction, 2012

RIOUX, François

Soleils suspendus, poèmes, 2010

ROBERT, Jocelyn

In Memoriam Joseph Grand, poésie, 2005

ROCHERY, Samuel

Tubes apostilles, poésie, 2007

Mattel, ou Dans la vie des jouets de la compagnie de John Mattel, il y avait des hommes et des femmes, fictions, 2012

ROUSSEL, Maggie

Les occidentales, poème, 2010

SAVAGE, Steve

2 x 2, poésie, 2003

mEat, poésie, 2005

SCHÜRCH, Franz

Ce qui s'embrasse est confus, poésie, 2009

De très loin, fiction, 2012

STEPHENS, Nathalie

Carnet de désaccords, essai, 2009

TRAHAN, Michaël

Nœud coulant, poèmes, 2013

TURGEON, David

Les bases secrètes, roman, 2012

VINCENT, Dauphin

Têtes à claques, poème narratif, 2005

WREN, Jacob

Le génie des autres, proses théâtrales, 2007

La famille se crée en copulant, proses, 2008

< POLYGRAPHE >

ARCHIBALD, Samuel
Arvida, histoires, 2011

BAEZ, Isabelle
Maté, roman, 2011

BOCK, Raymond
Atavismes, histoires, 2011

COPPENS, Carle
Baldam l'improbable, roman, 2011

GRENIER, Daniel
Malgré tout on rit à Saint-Henri, nouvelles, 2012

LEBLANC, Perrine
L'homme blanc, roman, 2010

ROY, Patrick
La ballade de Nicolas Jones, roman, 2010

Achevé d'imprimer au Québec
en septembre 2013 sur papier Enviro Édition
par l'imprimerie Gauvin.